편입수학만을 위한 스킬편입수학교재

편입수학

다변수 미분학

(편미분)

skill-math

스킬편입수학
연구소

편입수학- 다변수미분학(편미분)

발 행 | 2024년 2월 13일
저 자 | 스킬편입수학 연구소
펴낸이 | 한건희
펴낸곳 | 주식회사 부크크
출판사등록 | 2014.07.15.(제2014-16호)
주 소 | 서울특별시 금천구 가산디지털1로 119 SK트윈타워 A동 305호
전 화 | 1670-8316
이메일 | info@bookk.co.kr

ISBN | 979-11-410-7128-8

www.bookk.co.kr
ⓒ 스킬편입수학연구소 2024

<편도 함수>

2변수 함수 이상인 다변수 함수에 관한 도함수

$z = f(x, y)$의 편도함수(편미분). →미분할 독립변수 외에는 모두 상수취급.

① $\dfrac{\partial z}{\partial x} = \dfrac{\partial f}{\partial x} = Z_x = f_x$ →y는 상수로 고정,

x축에 대한 접선의 기울기 $= x$축 방향으로의 접선기울기

② $\dfrac{\partial z}{\partial y} = \dfrac{\partial f}{\partial y} = Z_y = f_y$ →x는 상수로 고정,

y축에 대한 접선의 기울기 $= y$축 방향으로의 접선기울기

---

1) $f(x, y) = (x^3 + y^2)^5$의 $\dfrac{\partial z}{\partial y}$를 구하시오.

2) $f(x,y) = \tan^{-1}\left(\dfrac{y}{x}\right) + \tan^{-1}\left(\dfrac{x}{y}\right)$라 할 때, $\dfrac{\partial f}{\partial x}$를 구하시오.

① 0 ② $\dfrac{1}{x^2+y^2}$ ③ $\dfrac{x+y}{x^2+y^2}$ ④ $\dfrac{x-y}{x^2+y^2}$

Ans ①

3) $u = \dfrac{e^{x+y}}{e^x+e^y}$일 때, $\dfrac{\partial u}{\partial x} + \dfrac{\partial u}{\partial y}$와 같은 것은?

① 1 ② x ③ y ④ u

Ans ④

4) 점$(2,\ 1)$에서 함수 $f(x,y) = \dfrac{xy}{x^2+1}$의 x에 관한 편미분계수를 구하시오.

① $-\dfrac{1}{25}$ ② $-\dfrac{2}{25}$ ③ $-\dfrac{3}{25}$ ④ $-\dfrac{4}{25}$

Ans ③

5) $f(x,y) = e^{2x}\cos y$에 대해 $\dfrac{\partial f}{\partial x}\Big|(1,0) \times \dfrac{\partial f}{\partial y}\Big|(-1, \dfrac{\pi}{2})$ 를 구하시오.

① -1   ② 1   ③ -2   ④ 2

Ans ③

6) 함수 $f(x,y) = y\cos x + xe^{xy}$의 편도함수 $\dfrac{\partial f}{\partial x}$와 $\dfrac{\partial f}{\partial y}$를 바르게 짝지은 것은?

① $\dfrac{\partial f}{\partial x} = -y\sin x + xye^{xy},\ \dfrac{\partial f}{\partial y} = \cos x + x^2 e^y$

② $\dfrac{\partial f}{\partial x} = -y\sin x + e^{xy},\ \dfrac{\partial f}{\partial y} = \cos x + (1+x^2)e^{xy}$

③ $\dfrac{\partial f}{\partial x} = -y\sin x + (1+xy)e^{xy},\ \dfrac{\partial f}{\partial y} = \cos x + x^2 e^{xy}$

④ $\dfrac{\partial f}{\partial x} = -y\sin x + (1+x^2)e^{xy},\ \dfrac{\partial f}{\partial y} = -\cos x + xye^{xy}$

Ans ③

(17인하)

7) 함수 $f(x,y,z) = \dfrac{x+y+z}{(x^2+y^2+z^2)^2}$ 에 대하여 점 $(1,0,2)$에서 편미분 $\dfrac{\partial f}{\partial x}$ 의 값은?

  ⓐ $-\dfrac{1}{125}$ ⓑ $-\dfrac{3}{125}$ ⓒ $-\dfrac{1}{25}$ ⓓ $-\dfrac{7}{125}$ ⓔ $-\dfrac{9}{125}$

Ans. ⓓ

8) 2변수 함수 $f(x,y) = (y^2 - 3xy)e^{xy}$에서 $f_x(0,2) + f_y(0,2)$의 값을 구하시오.

Ans. 6

9) 곡면 $f(x,y) = \dfrac{x^2}{2} - y^2 + \dfrac{23}{8}$ 일 때, $\left(\dfrac{1}{2}, 1, 2\right)$에서 x축 방향으로의 접선의 기울기를 구하시오.

Ans $\dfrac{1}{2}$

< 고계 편도함수 >

$z = f(x, y)$일 때 $f_x = \dfrac{\partial z}{\partial x}$, $f_y = \dfrac{\partial z}{\partial y}$

$\dfrac{\partial}{\partial y}\left(\dfrac{\partial z}{\partial y}\right) = \dfrac{\partial^2 z}{\partial y^2} = Z_{yy} = f_{yy}$ $\qquad$ $\dfrac{\partial}{\partial y}\left(\dfrac{\partial z}{\partial x}\right) = \dfrac{\partial^2 z}{\partial y \partial x} = Z_{xy} = f_{xy}$

$\dfrac{\partial}{\partial x}\left(\dfrac{\partial z}{\partial y}\right) = \dfrac{\partial^2 z}{\partial x \partial y} = Z_{yx} = f_{yx}$

1) $f(x, y) = e^{-(x^2 + y^2)}$의 $f_{xy}(-2, -3)$을 구하면?

① $-\dfrac{4}{e^{13}}$ $\qquad$ ② $\dfrac{4}{e^{13}}$ $\qquad$ ③ $\dfrac{9}{e^{13}}$ $\qquad$ ④ $\dfrac{24}{e^{13}}$

Ans ④

*조화함수

함수 f에 대해 $\dfrac{\partial^2 f}{\partial x^2} + \dfrac{\partial^2 f}{\partial y^2} = 0$을 *Laplace*방정식이라 하고, 이 식을 만족하는 함수 f를 조화함수(*harmonic function*)라고 한다.

2) 함수 $u(x, y, z) = (x^2 + y^2 + z^2)^{\alpha}$가 삼차원 라플라스 방정식 $\triangle u = u_{xx} + u_{yy} + u_{zz} = 0$의 해가 되는 0이 아닌 상수 α는?

① $-\dfrac{1}{2}$ $\qquad$ ② -1 $\qquad$ ③ 1 $\qquad$ ④ $\dfrac{1}{2}$

Ans ①

3) Poisson방정식 $\dfrac{\partial^2 u}{\partial x^2} + \dfrac{\partial^2 u}{\partial y^2} = f(x, y)$을 만족하는 $u(x, y)$와 $f(x, y)$의 쌍이 바르지 않은 것은?

① $u(x, y) = \dfrac{y}{x}, f(x, y) = \dfrac{2y}{x^3}$

② $u(x, y) = \dfrac{1}{\sqrt{x^2 + y^2}}, f(x, y) = \dfrac{1}{(x^2 + y^2)^{3/2}}$

③ $u(x, y) = \sin(xy), f(x, y) = (x^2 + y^2)\sin(xy)$

④ $u(x, y) = e^{x^2 - y^2}, f(x, y) = 4(x^2 + y^2)e^{x^2 - y^2}$

Ans ③

4) $f(x, y) = xy^3 + 2x^3y^5$일 때, $f_{xy}(1, -1)$를 구하시오.

Ans .33

5) 다음 중 라플라스 방정식 $\dfrac{\partial^2 f}{\partial x^2} + \dfrac{\partial^2 f}{\partial y^2} = 0$을 만족하는 함수 $f(x,y)$를 모두 고른 것은?

(가) $f(x,y) = x^2 - y^2$	(나) $f(x,y) = e^{4x}\cos 5y$
(다) $f(x,y) = \ln\sqrt{x^2 + y^2}$	(라) $f(x,y) = \sin x \cos h\, 2y$

① (가), (나)   ② (가), (다)   ③ (나), (다)   ④ (나), (라)

Ans ②

< 합성함수의 편미분 >

① $z = f(x,y)$, $x = A(t)$, $y = B(t)$일 때.

$\dfrac{dz}{dt} = \dfrac{\partial z}{\partial x}\dfrac{dx}{dt} + \dfrac{\partial z}{\partial y}\dfrac{dy}{dt}$

---

1) $z = x^2 y - y^2$, $x = \sin t$, $y = e^t$에 대해 $\dfrac{dz}{dt}$를 구하시오.

Ans. $2\sin t \cos t\, e^t + (\sin^2 t - 2e^t)e^t$

2) $z = x^2 + y^2 - 2x + 1$, $x = \cos t$, $y = e^t$일 때, $t = 0$에서 $\dfrac{dz}{dt}$를 구하시오.

Ans. 2

3) $z = x^2 + y^2$, $x = t - \sin t$, $y = 1 - \cos t$일 때, $t = \pi$에서 $\dfrac{dz}{dt}$를 구하시오.

Ans. 4π

② $z = f(x, y)$, $x = A(s,t)$, $y = B(s,t)$일 때

$$\frac{\partial z}{\partial s} = \frac{\partial z}{\partial x}\frac{\partial x}{\partial s} + \frac{\partial z}{\partial y}\frac{\partial y}{\partial s}$$
$$\frac{\partial z}{\partial t} = \frac{\partial z}{\partial x}\frac{\partial x}{\partial t} + \frac{\partial z}{\partial y}\frac{\partial y}{\partial t}$$

1) $u = r^2 + s^2$, $r = x + y$, $s = x - y$일 때, $\dfrac{\partial u}{\partial y}$를 구하시오.

Ans. $4y$

2) $f(x,y) = xe^{x+y}$, $x = u - v$, $y = -u + v$일 때, $\dfrac{\partial f}{\partial u}$를 구하시오.

Ans. 1

- 8 -

3) $f(x,y) = \ln(y^2 - x^2)$, $x = -u + v$, $y = u^2 + v^2$일 때, $\dfrac{\partial f}{\partial u}(1,2)$를 구하시오.

$Ans. \dfrac{11}{12}$

4) $z = \sin(x + y)$, $x = uv + v$, $y = ue^v$일 때, $u = 1, v = 0$에서 $\dfrac{\partial z}{\partial v}$의 값은?

① $\cos 1$ ② $2\cos 1$ ③ $3\cos 1$ ④ $4\cos 1$ ⑤ $5\cos 1$

Ans ③

(16숙대)

5) $w = xy + yz + zx$, $x = r\cos\theta$, $y = r\sin\theta$, $z = r\theta$ 일 때, $r = 1, \theta = \pi$에서의 편도함수 $\dfrac{\partial w}{\partial \theta}$ 값은?

① $-1 - \pi$ ② $-\pi$ ③ 0 ④ $\pi - 1$ ⑤ π

Ans ②

6) $h(x,y) = f(x+y) - f(x-y)$일 때, $\dfrac{\partial h}{\partial x} - \dfrac{\partial h}{\partial y} = ?$

$Ans. -2f'(x-y)$

7) $z = f(x-y)$일 때, $\dfrac{\partial z}{\partial x} + \dfrac{\partial z}{\partial y} = ?$

$Ans. \, 0$

8) $g(x,y) = f(4x+5y)$, $\dfrac{\partial g}{\partial y}(2,6) = 10$일 때, $\dfrac{\partial g}{\partial x}(2,6)$를 구하시오.

$Ans. \, 8$

9) $H(x,t) = f\left(2x + \dfrac{t}{2}\right) + g\left(2x - \dfrac{t}{2}\right)$라 할 때, $\dfrac{\partial^2 H}{\partial t^2} = C\dfrac{\partial^2 H}{\partial x^2}$을 만족하는 C의 값을 구하시오.

$Ans. \, \dfrac{1}{16}$

10) $g(x,y) = f(x+y, 5x-y)$, $\dfrac{\partial f}{\partial u}(3,3) = 5$, $\dfrac{\partial f}{\partial v}(3,3) = 1$ 일 때, $\dfrac{\partial g}{\partial x}(1,2)$ 를 구하시오.

Ans. 10

11) $u = f(x-y, y-x)$ 일 때, $\dfrac{\partial u}{\partial x} + \dfrac{\partial u}{\partial y}$ 를 구하시오.

12) $z = f(x,y)$ 에서 $f_x(1,3) = 5$, $f_y(1,3) = 3$ 이다. $g(x) = f(x, 4x-x^2)$ 일 때, 미분계수 $g'(1)$ 의 값을 구하시오.

Ans. 11

13) 이변수 함수 $f(x,y)$가 $f_x(3,5) = 2$, $f_y(3,5) = 3$을 만족하고 $g(s,t) = f(s^2 - t, st + 3t)$일 때, $g_s(2,1) + g_t(2,1)$의 값을 구하시오.

Ans. 24

14) $z = f(x,y)$, $x = s - t$, $y = s + t$일 때, $\left(\dfrac{\partial z}{\partial x}\right)^2 - \left(\dfrac{\partial z}{\partial y}\right)^2$과 같은 것은?

① $-\dfrac{\partial z}{\partial s}\dfrac{\partial z}{\partial t}$ ② $-\dfrac{\partial^2 z}{\partial s \partial t}$ ③ $\left(\dfrac{\partial z}{\partial s}\right)^2 + \left(\dfrac{\partial z}{\partial t}\right)^2$ ④ 0

Ans. ①

15) $f(x,y)$가 미분가능인 함수이고 다음 등식 $f(t^3 - t + 1, 2 - t^2) = t^4 - 4t^3 + 4t + 6$을 만족할 때, $\frac{\partial f}{\partial x}(1,1)$을 구하시오.

Ans. -4

(18아주)

16) 미분 가능한 이변수 함수 $f(x,y)$에 대하여

$w = g(u,v) = f(u + 2v^2 + 2, u^2 - 4v + 1)$라 하자. 표를 이용 하여 $\frac{\partial w}{\partial u}\big|_{(-1,0)}$의 값을 구하면?

(x,y)	f	f_x	f_y
$(-1,0)$	5	3	2
$(1,2)$	8	6	4

① -4 ② -2 ③ 0 ④ 2 ⑤ 4

Ans. ②

17) 두 함수 $f(x,y) = \left(e^{x(x-1)}\cos\pi y, \dfrac{x}{x^2+y^2}\right)$ 와 $g(s,t) = s^2(t^3+s)$ 에 대하여

$\dfrac{\partial}{\partial x}(g \circ f)(1,0)$의 값을 구하시오.

Ans. 2

---

*클레로정리 : 점 (a,b)를 포함하는 원판 S에서 정의되는 함수를 f라고 한다면,

함수 f_{xy}와 f_{yx}가 S에서 연속이면 다음이 성립한다.

1) $f_{xy}(a,b) = f_{yx}(a,b)$
2) $f_{xxy}(a,b) = f_{xyx}(a,b) = f_{yxx}(a,b)$ 등

---

18) 연속함수 $g(x,y) = f(u,v)$는 연속인 f_{uv}, f_{vu}를 가지고 $u = x+y$, $v = 2x-y$ 이다. 미분계수 $g_{xx}(2,-1)$의 값은?
(단, $f_u(1,5) = 4, f_v(1,5) = 1, f_{uu}(1,5) = -1, f_{uv}(1,5) = 2, f_{vv}(1,5) = -3$)

① -10 ② -5 ③ -2 ④ 5

Ans. ②

19) 영역 D에서 정의된 함수 $z = f(x,y)$가 연속인 $\dfrac{\partial^2 z}{\partial x \partial y}$와 $\dfrac{\partial^2 z}{\partial y \partial x}$를 가진다.

$x = -u^2 + v$, $y = uv$일 때, $\dfrac{\partial^2 z}{\partial u^2}$를 구하시오.

① $4u^2 \dfrac{\partial^2 z}{\partial x^2} + v^2 \dfrac{\partial^2 z}{\partial y^2} - 4uv \dfrac{\partial^2 z}{\partial x \partial y} - 4 \dfrac{\partial z}{\partial x}$ ② $4u^2 \dfrac{\partial^2 z}{\partial x^2} + v^2 \dfrac{\partial^2 z}{\partial y^2} - 2uv \dfrac{\partial^2 z}{\partial x \partial y} - 2 \dfrac{\partial z}{\partial x}$

③ $4u^2 \dfrac{\partial^2 z}{\partial x^2} + v^2 \dfrac{\partial^2 z}{\partial y^2} - 4uv \dfrac{\partial^2 z}{\partial x \partial y} - 2 \dfrac{\partial z}{\partial y}$ ④ $4u^2 \dfrac{\partial^2 z}{\partial x^2} + v^2 \dfrac{\partial^2 z}{\partial y^2} - 2uv \dfrac{\partial^2 z}{\partial x \partial y} - 4 \dfrac{\partial z}{\partial y}$

⑤ $4u^2 \dfrac{\partial^2 z}{\partial x^2} + v^2 \dfrac{\partial^2 z}{\partial y^2} - 4uv \dfrac{\partial^2 z}{\partial x \partial y} - 2 \dfrac{\partial z}{\partial x}$

Ans ⑤

20) 함수 $f(x,y) = 2x^2 y + 3xy + y^2 - 5\cos(2\pi xy^2) + \sin\left(\dfrac{\pi}{4}y\right)$에 대한 다음 적분을 구하시오.

$$\int_0^1 \frac{\partial f}{\partial x}(x,0)dx + \int_0^2 \frac{\partial f}{\partial y}(1,y)dy$$

*Ans.*15

$$* \quad \frac{dF}{da} = \int_{x_1}^{x_2} \frac{\partial}{\partial a} f(x,a) dx$$

(정적분은 적분상수가 없다.)

21) $y > 0$일 때, $\dfrac{d}{dy} \displaystyle\int_0^1 \dfrac{e^{-x} - e^{-xy}}{x} dx$를 구하시오. *Ans.* $\dfrac{1 - e^{-y}}{y}$

22) $\alpha > 0$일때, $\displaystyle\int_0^\infty \dfrac{e^{-x} - e^{-\alpha x}}{x} dx$를 구하시오. *Ans.* $\ln \alpha$

오일러정리
: 0이 아닌 임의의 실수 t에 대해 다음과 같은 관계식을 만족할 때, f를 n차 동차함수라 한다.

* $f(tx, ty) = t^n f(x, y)$

$\Rightarrow x f_x(x, y) + y f_y(x, y) = n f(x, y)$
$\Rightarrow x^2 f_{xx} + 2xy f_{xy} + y^2 f_{yy} = n(n-1) f(x, y)$

* $f(tx, ty, tz) = t^n f(x, y, z) = n f(x, y, z)$: n차 동차함수

*동차함수 : 다변수함수에서 $f(x, y) = 4x^2 - 7xy + 9y^2$와 같이 차수가 같은 함수들의
합과 차로 이루어진 함수

---

1) $f(tx, ty) = t^3 f(x, y)$, $f(0, 1) = 1$ 일 때, $\dfrac{\partial f}{\partial y}(0, 2)$를 구하시오.

Ans. 12

2) 이변수함수 $f(x, y)$와 모든 실수 t에 대하여 항등식 $f(tx, ty) = t^9 f(x, y)$가 성립할 때,
다음 항등식에서 k의 값은?

$$x^2 \frac{\partial^2 f}{\partial x^2}(x, y) + 2xy \frac{\partial^2 f}{\partial x \partial y}(x, y) + y^2 \frac{\partial^2 f}{\partial y^2}(x, y) = k f(x, y)$$

① 9 ② 27 ③ 36 ④ 72 ⑤ 81

Ans ④

(18세종)

3) $f(x,y,z) = 2x^2 - y^2 + 3z^2 - xy + 4yz$에 대하여 $g(x,y,z) = x\dfrac{\partial f}{\partial x} + y\dfrac{\partial f}{\partial y} + z\dfrac{\partial f}{\partial z}$라 하자. $g(1,1,1)$의 값은?

① 14　　② 16　　③ 18　　④ 20　　⑤ 22

Ans. ①

< 음함수의 미분 >

음함수($implicit\ function$) : 종속변수와 독립변수의 관계가 성립이 되는 함수

형태 : $f(x,y) = 0$

음함수 1계 도함수 : $\dfrac{dy}{dx} = -\dfrac{f_x}{f_y}$,

음함수 2계 도함수 : $\dfrac{d^2y}{dx^2} = -\dfrac{(f_x)^2 f_{yy} - 2f_x f_y f_{xy} + (f_y)^2 f_{xx}}{(f_y)^3}$ (y를 x에 관한 음함수)

---

1) $x^2 + y^2 = 1$, $\dfrac{dy}{dx}$를 구하시오.

Ans. $\dfrac{-x}{y}$

2) 곡선 $x^2y+3y^3x^4=4$ 위의 점 $(1,1)$에서 접선의 기울기를 구하시오.

$Ans. \dfrac{-7}{5}$

3) 곡선 $g(x,y)=0$ 위의 점 $P(2,3)$에서 접선이 $y=-2x+7$이다. $g_x(2,3)=1$일 때, $g_y(2,3)$의 값은?

$Ans. 1/2$

4) $\ln(x^2+y^2+1)+\sin(x^2-y^2)=\ln 2$ 위의 점 $\left(\dfrac{1}{\sqrt{2}},\dfrac{1}{\sqrt{2}}\right)$에서 $\dfrac{dy}{dx}$의 값을 구하시오.

$Ans. 3$

5) 곡선 $x^3-2xy+y^3=5$ 위의 점 $P(1,2)$에서 법선의 그래프와 x축, y축으로 둘러싸인 영역을 y축을 중심으로 회전시켜 얻을 수 있는 입체의 체적은?

$Ans. \dfrac{144\pi}{25}$

6) $\tan^{-1}(xy+1) = \dfrac{\pi}{4}x + 2y$ 위의 점 $(1,0)$에서 접선의 기울기를 구하시오.

Ans. $\dfrac{-\pi}{6}$

7) $x^y y^x = 1$에 대해 $y^{'}(1)$를 구하시오.

Ans. -1

8) 방정식 $x^3 + y^3 = 6xy$에서 y를 x에 관한 음함수로 정의할 때, 이 곡선 위의 점 $(3,3)$에서 접선의 기울기를 구하시오.

Ans. -1

9) $x^2 - 4y^2 = 4$에서 $\dfrac{d^2y}{dx^2}$의 값을 구하시오.

$Ans. \dfrac{-1}{4y^3}$

10) $y(0) = 0$이고 $\sin(x+y) = y^2\cos x$일 때 $y''(0)$의 값을 구하시오.

$Ans. 2$

11) 미분 가능한 함수 $y = y(x)$가 $y^x = x^y$를 만족 할때, $y(1) + y'(1)$의 값을 구하시오.

$Ans. 2$

12) 곡선 C가 식 $x^2 - y^2 = 2x + xy + y + 2$로 정의될 때, C위의 점 $P(2, -1)$에서의 접선이 직선 $y = -2x$와 만나는 점의 y좌표는?

① $-\dfrac{14}{5}$ ② $-\dfrac{13}{5}$ ③ $-\dfrac{12}{5}$ ④ $-\dfrac{11}{5}$ ⑤ -2

$Ans.$ ①

13) 곡선 $x^2 y^2 + 2xy = 8$ 위의 두 점 $(2, y_1), (2, y_2)$에서의 접선들이 교차하는 점의 좌표 (x, y)는?

① $(4, 0)$ ② $(1, -3)$ ③ $(2, -2)$ ④ $(2, 1)$

$Ans.$ ①

---

* 2변수 함수의 음함수 $f(x, y, z) = 0$

$\dfrac{\partial z}{\partial x} = -\dfrac{f_x}{f_z}, \quad \dfrac{\partial z}{\partial y} = -\dfrac{f_y}{f_z}$ (y에 관한 z의 편도함수)

---

1) $x^2 + y^2 + z^2 = a^2$에서 $\dfrac{\partial z}{\partial x}$를 구하시오.

$Ans.$ $\dfrac{-x}{z}$

(17홍대)

2) 함수 $z = f(x, y)$가 $x^2 + y^2 + z^2 = 3xyz$을 만족한다. $(x, y, z) = (1, 2, 5)$에서 $\dfrac{\partial z}{\partial x} + \dfrac{\partial z}{\partial y}$를 구하시오.

① $-\dfrac{13}{4}$ ② $\dfrac{17}{4}$ ③ $\dfrac{39}{4}$ ④ $-\dfrac{51}{4}$

$Ans.$ ③

3) $2xy - z^2 + xyz = 0$에서 $\dfrac{\partial z}{\partial y}$의 값을 구하시오.

4) $f(x, y, z) = 0$에서 $\dfrac{\partial z}{\partial x}\dfrac{\partial x}{\partial y}\dfrac{\partial y}{\partial z}$의 값을 구하시오.

$Ans.$ -1

5) $u = (y-z)(z-x)(x-y)$일 때, $\dfrac{\partial u}{\partial x} + \dfrac{\partial u}{\partial y} + \dfrac{\partial u}{\partial z}$의 값을 구하시오.

  ① 0   ② 1

  ③ $\dfrac{1}{(x-y)(y-z)(z-x)}$ ④ $-\dfrac{1}{(x-y)(y-z)(z-x)}$

*Ans .*①

6) 방정식 $2x^3 + 3y^3 + z^3 - 5xyz = 1$ 로 정의되는 곡면과 방정식 $x^2 + y^2 = 1$로 정의되는 원통이 만나는 교선을 매개화한 곡선 $\alpha(t) = (\cos t, \sin t, z(t))$에 대하여 $z'(0)$의 값을 구하시오.

  ① $-\dfrac{1}{3}$ ② $-\dfrac{2}{3}$ ③ -1 ④ $-\dfrac{4}{3}$ ⑤ $-\dfrac{5}{3}$

*Ans .*⑤

(16숭실)

7) $f(x,y) = \int_{xy}^{x^2-y^2} \frac{1}{\sqrt{1+t^2}} dt$ 일 때, 편미분계수 $f_x(1,2)$의 값은?

① $\frac{1}{\sqrt{10}} - \frac{2}{\sqrt{5}}$ ② $\frac{2}{\sqrt{10}} - \frac{1}{\sqrt{5}}$ ③ $\frac{2}{\sqrt{10}} + \frac{2}{\sqrt{5}}$ ④ $\frac{2}{\sqrt{10}} - \frac{2}{\sqrt{5}}$

*Ans.*④

8) $f(x,y) = \int_{y}^{x^2} \cos \pi t^3 \, dt$ 일 때, $f_x(1,1)$의 값을 구하시오.

① -4 ② -3 ③ -2 ④ -1

*Ans.*③

9) $\alpha > -1$일 때, $\displaystyle\int_0^1 \frac{x^\alpha - 1}{\ln x}\, dx$를 구하면?

① 0 ② $\ln \alpha$ ③ $\ln(\alpha + 1)$ ④ $\ln \alpha + 1$

Ans. ③

10) $f(x) = \dfrac{d}{dx}\displaystyle\int_x^{x^2} \frac{dt}{\ln(x+t)}$ 라 할 때, $\displaystyle\lim_{x \to 1} f(x)$의 값을 구하면?

① $\dfrac{1}{\ln 2}$ ② $\dfrac{2}{\ln 2}$ ③ $\ln 2$ ④ $2\ln 2$

Ans. ①

< 2변수 함수의 극한 >

① 극한의 부정형 : 순서 1. x축을 따라 $(0,0)$으로 접근하는 경우는 $\lim\limits_{x \to 0} f(x,0)$

                        2. y축을 따라 $(0,0)$으로 접근하는 경우는 $\lim\limits_{y \to 0} f(0,y)$

                        3. 분모의 차수를 일치시켜주는 $y = mx^n$을 대입 하여 극한을 보낸다.

★ 동차 다항식/동차 다항식의 형태일 때 분모의 차수 < 분자의 차수가 더 크면 항상 수렴.

(단, 초월함수 제외)

② 극한의 부정형이 아닌 경우는 대입한다. $ex)$ $\lim\limits_{(x,y) \to (1,1)} \dfrac{\ln y}{x} = 0$

문제. 극한값을 구하시오.

1) $\lim\limits_{(x,y) \to (0,0)} \dfrac{xy}{x^2 + y^2}$

2) $\lim\limits_{(x,y) \to (0,0)} \dfrac{x^2}{x^2 + y^2}$

3) $\lim\limits_{(x,y) \to (0,0)} \dfrac{x^3}{x^2 + y^2}$

4) $\lim\limits_{(x,y) \to (0,0)} \dfrac{x^2 y}{x^2 + y^2}$

5) $\displaystyle\lim_{(x,y)\to(0,0)}\frac{x^2 y}{x^4 + y^2}$

6) $\displaystyle\lim_{(x,y)\to(0,0)}\frac{x^2 y^n}{x^{16} + y^{16}}$ 이 존재하게 될때 n의 최소자연수는?

7) $\displaystyle\lim_{(x,y)\to(0,0)}\frac{xy^2}{\sqrt{x^2 + y^2}}$

8) $\displaystyle\lim_{(x,y,z)\to(0,0,0)}\frac{xyz}{x^2 + y^2 + z^2}$

9) $\displaystyle\lim_{(x,y)\to(0,0)}\frac{x-y}{\sin(x+y)}$

10) $\displaystyle\lim_{(x,y)\to(0,0)}\frac{x^2 \sin^2 y}{x^2 + 2y^2}$

11) $\displaystyle\lim_{(x,y)\to(1,1)}\frac{x^2 y - 1}{x-1}$

12) 함수 $f(x,y) = \begin{cases} \dfrac{\cos(x^2+y^2)-1}{x^2+y^2} &, (x,y) \neq (0,0) \\ A &, (x,y) = (0,0) \end{cases}$ 으로 정의할 때 f가 $(0,0)$에서 연속이

되도록 A의 값을 구하시오.

Ans. 0

13) $\displaystyle\lim_{(x,y)\to(0,0)} \frac{x^2+y^5}{x^2+xy^2+y^4}$

14) $\displaystyle\lim_{\substack{x\to0\\y\to0}} \frac{x^2-y^2}{\sqrt{x^2+y^2}} = 0$

15) $\displaystyle\lim_{\substack{x\to0\\y\to0}} \frac{\sin(x^2+y^2)}{3x^2+3y^2} = \frac{1}{3}$

16) $\displaystyle\lim_{\substack{x\to0\\y\to0}} \frac{x^2-y^2}{x^2+y^2}$

17) $\displaystyle\lim_{(x,y)\to(0,0)} \frac{x^3-y^3}{x^2+xy+y^2}$

18) $\displaystyle\lim_{\substack{x\to0\\y\to0}} \frac{\sin(y^3)}{2x^2+y^2} = 0$

19) $\displaystyle \lim_{\substack{x \to 0 \\ y \to 0}} \frac{e^{xy}-1}{xy}=1$

20) $\displaystyle \lim_{\substack{x \to 2 \\ y \to 1}} \frac{\sin^{-1}(xy-2)}{\tan^{-1}(3xy-6)}=\frac{1}{3}$

21) $\displaystyle \lim_{\substack{x \to 0 \\ y \to 0}} \frac{\sqrt{1+x+y}-1}{x+y}=\frac{1}{2}$

22) $\displaystyle \lim_{\substack{x \to 0 \\ y \to 0}} \frac{1}{xy^2}\sin(x^2y^2+xy^3)=0$

23) $f(x,y)=\begin{cases} \dfrac{xy-x}{x^2+y^2-2y+1} & ,(x,y)\neq(0,1) \\ 0 & ,(x,y)=(0,1) \end{cases}$ 의 설명 중 옳은 것은?

① $(0,1)$에서 연속이다.　② $(0,1)$에서 불연속이다.

③ 모든 점에서 연속이다.　④ $(0,1)$에서 미분가능하다.

24) $\displaystyle \lim_{(x,y)\to(0,0)} \frac{xy+|x|e^{xy}+y^2}{2(|x|+y^2)}$ 을 구하시오.

① $\dfrac{1}{2}$　② 1　③ $\dfrac{3}{2}$　④ 2

25) 함수 $f(x,y) = \begin{cases} (x+y)\sin\dfrac{1}{x}\sin\dfrac{1}{y} & ,(x,y) \neq (0,0) \\ 0 & ,(x,y) = (0,0) \end{cases}$ 의 설명 중 참인 것의 개수를 구하시오.

(가) $\displaystyle\lim_{(x,y)\to(0,0)} f(x,y) = 0$

(나) 함수 $f(x,y)$는 $(0,0)$에서 연속이다.

(다) 함수 $f(x,y)$는 $(0,0)$에서 불연속이다.

(라) 함수 $f(x,y)$는 $(0,0)$에서 연속성을 알 수 없다.

Ans. 2개

26) 다음 중 극한이 존재하는 것을 모두 고르시오.

ㄱ. $\displaystyle\lim_{(x,y)\to(0,0)} \frac{x-y}{\sin(x+y)}$

ㄴ. $\displaystyle\lim_{(x,y)\to(0,0)} \frac{x\sqrt{y^3}}{x^2+y^2}$

ㄷ. $\displaystyle\lim_{(x,y)\to(0,0)} \frac{x\sin(x^2+y^2)}{x^2+y^2}$

① ㄱ　　② ㄴ　　③ ㄷ　　④ ㄱ, ㄷ　　⑤ ㄴ, ㄷ

Ans. ⑤

27) $\displaystyle\lim_{(x,y)\to(0,0)} |x|^y$

28) $\displaystyle\lim_{(x,y)\to(0,0)} \frac{x^2\sqrt{|y|}}{x^2+\sqrt{|y|}}$

29) $\displaystyle\lim_{(x,y)\to(1,1)} |x|^{\ln y}$

30) 다음과 같이 정의된 함수 $f(x,y)$가 원점에서 연속이 되도록 c값을 구하면?

$$f(x,y)=\begin{cases} \dfrac{xy^2 + 3\tan(x^2+y^2)}{2(x^2+y^2)} & ,(x,y)\neq(0,0) \\ c & ,(x,y)=(0,0) \end{cases}$$

Ans. $3/2$

31) $\displaystyle\lim_{(x,y)\to(0,0)} \dfrac{xy}{\sin^2 y}$

32) $\displaystyle\lim_{(x,y)\to(0,0)} \sin\left(\dfrac{x^2 y^2}{x^4+y^4}\right)$

33) 함수 $f(x,y)=\begin{cases} \arctan\left(\dfrac{|x|+|y|}{x^2+y^2}\right) & ,(x,y)\neq(0,0) \\ a & ,(x,y)=(0,0) \end{cases}$ 가 점 $(0,0)$ 에서 연속이 되기 위한

a의 값은?

① $-\dfrac{\pi}{2}$ ② $-\dfrac{\pi}{4}$ ③ 0 ④ $\dfrac{\pi}{4}$ ⑤ $\dfrac{\pi}{2}$

< 편도함수의 정의 >

$$f'(a) = \lim_{h \to 0} \frac{f(a+h) - f(a)}{h}$$

$$\Downarrow$$

$$f_x(a,b) = \lim_{h \to 0} \frac{f(a+h,b) - f(a,b)}{h}, \quad f_y(a,b) = \lim_{h \to 0} \frac{f(a,b+h) - f(a,b)}{h}$$

$$f_{xx}(a,b) = \lim_{h \to 0} \frac{f_x(a+h,b) - f_x(a,b)}{h}, \quad f_{yy}(a,b) = \lim_{h \to 0} \frac{f_y(a,b+h) - f_y(a,b)}{h}$$

* $z = f(x,y)$가 $(x,y) = (a,b)$에서 미분가능 조건 : ① $(x,y) = (a,b)$에서 연속

② $\dfrac{\partial f}{\partial x}, \dfrac{\partial f}{\partial y}$가 $(x,y) = (a,b)$에서 연속

$Q.\ f(x) = \begin{cases} \dfrac{\sin x}{x} & (x \neq 0) \\ 1 & (x = 0) \end{cases}$ 일 때, $f''(0)$의 값은?

① 0 ② -1 ③ $-\dfrac{1}{3}$ ④ $\dfrac{2}{3}$

$Ans.$③

(13서강)

1) 집합 $\{(x,y) | -\pi < y < \pi\}$에 정의된 $f(x,y) = \begin{cases} \dfrac{e^{xy}-1}{\sin y} & , y \neq 0 \\ x & , y = 0 \end{cases}$ 에 대하여,

$\dfrac{\partial f}{\partial y}(1,0)$의 값을 구하시오.

$Ans.\ 1/2$

2) $f(x,y) = \begin{cases} \sin\left(\dfrac{x^3 - xy^2}{x^2 + y^2}\right) & (x,y) \neq (0,0) \\ 0 & (x,y) = (0,0) \end{cases}$ 일 때, $\dfrac{\partial f}{\partial x}(0,0)$의 값을 구하시오.

(14성대)

3) $g(x, y) = \begin{cases} \dfrac{x^4 + y^2}{x^2 + y^4}, & (x, y) \neq (0, 0) \\ 0, & (x, y) = (0, 0) \end{cases}$ 일 때, $\dfrac{\partial g}{\partial x}(1, 0)$의 값을 구하시오.

① 0   ② 1   ③ 2   ④ 3

Ans ③

4) $f(x, y) = \begin{cases} \dfrac{xy^3}{x^2 + y^2}, & (x, y) \neq (0, 0) \\ 0, & (x, y) = (0, 0) \end{cases}$ 에 대하여 $f_{xy}(0, 0)$을 구하시오.

① -2   ② -1   ③ 0   ④ 1

Ans ④

5) $f(0,0)=0$ 이고, $(x,y)\neq(0,0)$ 이면, $f(x,y)=\dfrac{2xy(y^2-2x^2)}{x^2+3y^2}$ 로 정의된 함수 $f(x,y)$ 에

대하여 $\alpha=\dfrac{\partial^2 f}{\partial y\partial x}(0,0),\ \beta=\dfrac{\partial^2 f}{\partial x\partial y}(0,0)$ 라고 놓을 때, $\alpha+\beta$ 의 값을 구하시오.

① $\dfrac{10}{3}$ ② $\dfrac{4}{3}$ ③ $-\dfrac{10}{3}$ ④ $-\dfrac{4}{3}$

Ans ③

6) $f(x,y)=\begin{cases}\dfrac{xy(x^2-y^2)}{x^2+y^2} & (x,y)\neq(0,0)\\ 0 & (x,y)=(0,0)\end{cases}$ 일 때, $f_{xy}(0,0)+f_{yx}(0,0)$ 의 값을 구하시오.

① 0   ② 1   ③ 2   ④ 존재하지 않음

Ans ①

(15광운)

7)이변수 함수 $f(x,y)=\begin{cases}\dfrac{xy^2}{x^2+y^2} & ,(x,y)\neq(0,0)\\ 0 & ,(x,y)=(0,0)\end{cases}$ 에 대한 설명 중 옳은 것을 모두 고르시오.

ⓐ $\dfrac{\partial f(0,1)}{\partial x}=1$

ⓑ $f(x,y)$는 원점에서 연속이다.

ⓒ $f(x,y)$는 원점에서 미분가능하다.

① ⓐ   ② ⓑ   ③ ⓐ, ⓑ   ④ ⓐ, ⓑ, ⓒ

Ans ③

< 전미분 >

: 연속함수 $z = f(x,y)$가 점 (x,y)에서 증분 $\triangle x$와 $\triangle y$가 주어졌을때, $\dfrac{\partial z}{\partial x}\triangle x + \dfrac{\partial z}{\partial y}\triangle y$를 함수 $z = f(x,y)$의 점 (x,y)에서의 증분 $\triangle x$와 $\triangle y$에 따르는 전미분이라 한다.

$z = f(x,y)$의 전미분 $dz\,(= df)$

$$dz = \frac{\partial z}{\partial x}dx + \frac{\partial z}{\partial y}dy$$

$u = f(x,y,z)$의 전미분 du

$$du = \frac{\partial u}{\partial x}dx + \frac{\partial u}{\partial y}dy + \frac{\partial u}{\partial z}dz$$

① 최대 (근사)오차 (dz) : $dz = \dfrac{\partial z}{\partial x}dx + \dfrac{\partial z}{\partial y}dy$

② 최대 상대오차 : $\dfrac{dz}{z}$

③ 최대 백분율 오차 : $\dfrac{dz}{z} \times 100$

1) $z = \ln\left(\sqrt{x^2 + y^2}\right)$의 전미분 dz를 구하시오.

2) $z = x^2 \tan^{-1}y$의 dz를 구하시오.

3) $u = xy + yz^2 - xyz$의 du를 구하시오.

4) f가 $df = (2xy^3 - 2y^2)dx + (3x^2y^2 - 4xy)dy$ 에서 $f(1,1) = 0$ 일 때 $f(1,-1)$ 를 구하시오.

Ans. -2

5) 다음 보기 안의 등식 가운데 옳은 것을 모두 고른 것은?

< 보기 >

(가) $d(xy) = xdy + ydx$ (나) $d\left(\dfrac{y}{x}\right) = \dfrac{xdy - ydx}{x^2}$ (다) $d\left(\dfrac{x}{y}\right) = \dfrac{ydx - xdy}{y^2}$

① 가   ② 가,나   ③ 나,다   ④ 가,나,다

Ans. ④

(06한양)

6) 반지름 r, 높이 h인 원뿔의 부피 V는 $V = \dfrac{1}{3}\pi r^2 h$이다. 반지름과 높이가 각각 $4cm, 5cm$로 측정되었고 각각의 측정 오차가 $0.1cm$이었다. 최대상대오차는 얼마인가?

Ans. 0.07

< 경도 $gradient$ >

① $f(x,y,z)=0$의 음함수형태에서 $\nabla f(x,y,z)=(f_x,f_y,f_z)=f_x i+f_y j+f_z k$을 경도$(grad\,f)$라 하고 곡면의 접평면의 법선벡터를 의미한다.

② $z=f(x,y)$에서는 $\nabla f(grad\,f)=(f_x,f_y)=f_x i+f_y j$을 경도라 하고 z의 등위곡선 위의 점에서 그 곡선에 수직인 벡터를 의미한다. 이 형태는 방향도 함수를 구할 때 이용한다.

* 벡터 = 크기와 방향을 갖는 물리량(힘,속도 …)

벡터의 표현(3차원) : $\vec{a}=(a_1,a_2,a_3)=a_1 i+a_2 j+a_3 k$

벡터의 크기 : $|\vec{a}|=\sqrt{a_1^2+a_2^2+a_3^2}$

단위벡터 : 크기가 1인 벡터 = 벡터를 크기로 나눈것, $\vec{u}=\dfrac{\vec{a}}{|\vec{a}|}$

벡터의 내적 표현 : $\vec{a}\circ\vec{b}=|\vec{a}||\vec{b}|\cos\theta$

graph.

1) $f(x,y) = x^2 + y^2$ 의 점 $(1,2)$에서의 경도를 구하시오.

2) $F(x,y) = (2xy, x^2 + 3y^2)$에 대해 $F = grad\phi$를 만족하는 ϕ값을 구하시오.

3) $f(x,y,z) = x^2 - y^2 + xyz$의 점 $(1,1,0)$에서의 *gradient*를 구하시오.

4) $u = x^2 f\left(\dfrac{y}{x}, \dfrac{z}{x}\right), f(2,4) = 0$, $\nabla f(2,4) = (1,2)$일 때, $\dfrac{\partial u}{\partial x}(2,4,8)$를 구하시오.

5) $x^2 + \dfrac{y^2}{4} + \dfrac{z^2}{9} = 3$의 점 $(1,2,3)$에서의 경도를 구하시오.

< 방향도함수 (*Directional Derivative*) >

$f(x,y)$의 점 (a,b)에서 단위벡터 $\vec{u}=(u_1,u_2)$방향으로의 방향도함수는
$D_{\vec{u}}f(a,b) = \nabla f(a,b) \circ \vec{u}$ 이다.

* 경도방향의 방향벡터에서 방향도함수는 가장 큰 변화율을 갖는다.

$\Rightarrow f$가 가장 빨리 증가하는 방향 : ∇f
$\Rightarrow f$가 가장 빨리 감소하는 방향 :$- \nabla f$

* f의 방향도함수의 최댓값 : $|\nabla f|$
* f의 방향도함수의 최솟값 :$-|\nabla f|$

(a,b)에서 $u = <x_1, y_1>$ 방향으로 f의 방향도함수는 다음과 같다.

$$D_u f(a,b) = \lim_{h \to 0} \frac{f(a+hx_1, b+hy_1) - f(a,b)}{h}$$

$$ex) \quad D_{(3,4)}f(1,4) = \lim_{h \to 0} \frac{f\left(1 + \frac{3}{5}h, 4 + \frac{4}{5}h\right) - f(1,4)}{h}$$

---

1) 점 $\left(\frac{1}{2}, 1\right)$에서 $f(x,y) = x^2 + y^2$의 $\vec{u} = \left(\frac{1}{\sqrt{5}}, \frac{2}{\sqrt{5}}\right)$방향의 도함수는?

2) 점 $(2,1)$에서 벡터 $\vec{u} = \left(\frac{3}{5}, \frac{4}{5}\right)$방향으로 $f(x,y) = x^2 + 2xy^2$의 방향미분계수는?

3) $f(x,y,z) = \sqrt{x^2+y^2+z^2}$ 의 점 $(1,0,0)$에서 $\vec{u} = \left(\dfrac{1}{\sqrt{3}}, \dfrac{1}{\sqrt{3}}, \dfrac{1}{\sqrt{3}}\right)$방향의 $D_{\vec{u}}f = ?$

4) $f(x,y) = x + 2x^2y$일 때, 점 $(1,2)$에서 $3i+4j$방향의 방향미분계수는?

5) 점 $(1,0)$에서 $f(x,y) = x^2y^2 + y$의 $\vec{a} = (-2,-1)$방향의 $D_{\vec{u}}f(1,0) = ?$

6) 점 $(1,1,1)$에서 $\vec{a} = (1,2,2)$방향의 $f(x,y,z) = x^3 - xy^2 - z$의 방향미분계수는?

7) $f(x,y)=x^2+y^2$이 점$(-1,3)$에서 점$(1,2)$방향의 방향미분계수는?

8) $f(x,y)=1+2x^2y-y$일 때, 점$(1,2)$에서 점$(1,-5)$방향의 방향미분계수는?

9) $g(x,y,z)=2x^2+3y^2+z^2-9$의 점$(1,-1,0)$에서 $(2,1,1)$방향의 방향미분계수는?

10) 점$\left(\dfrac{\pi}{2},\dfrac{\pi}{2}\right)$에서 $\theta=\dfrac{\pi}{4}$방향의 $f(x,y)=x\sin y$의 방향도함수는?

11) 함수 $f(x,y,z)=\sqrt{xyz}$의 점$(3,\ 2,\ 6)$에서 $i+2j-2k$ 방향으로의 방향도함수는?

① 1   ② 2   ③ 3   ④ 4

Ans ①

12) $f(x,y,z) = 2xe^y - ye^{2z} + ze^x$, $\vec{v} = (2,1,0)$ 이라 할 때, 점 $P(1,-1,0)$에서 f의 $\vec{v}$방향으로의 방향도함수는?

① $\dfrac{6e^{-1} - 1}{\sqrt{5}}$ ② $\dfrac{e^{-1} - 6}{\sqrt{5}}$ ③ $\dfrac{6e^{-1} + 1}{\sqrt{5}}$ ④ $\dfrac{e^{-1} + 6}{\sqrt{5}}$

Ans ①

13) 단위벡터 $\vec{u}$가 양의 x축과 이루는 각의 크기가 $\dfrac{\pi}{3}$일 때, 점 $(2,\ 1)$에서 함수 $f(x,y) = x^2 - 2xy + y^3$의 $\vec{u}$방향의 방향도함수 $D_{\vec{u}}(2,1)$의 값은?

① $\dfrac{1 - \sqrt{3}}{2}$ ② $\dfrac{1 + \sqrt{3}}{2}$ ③ $\dfrac{2 - \sqrt{3}}{2}$ ④ $\dfrac{2 + \sqrt{3}}{2}$

Ans ③

14) 곡면의 방정식을 $f(x,y,z) = x^2yz^3$라 하자, $t = 0$일 때,
곡선 $x = e^{-t}, y = 2\sin t + 1, z = t - \cos t$에서 방향도함수의 값을 구하면?

① $\sqrt{6}$ ② $\dfrac{\sqrt{6}}{2}$ ③ $\dfrac{\sqrt{6}}{3}$ ④ $\dfrac{\sqrt{6}}{4}$

Ans ②

15) $2i+j$방향으로의 점 P_0의 함수 f의 방향도함수가 $\sqrt{5}$이고 $-i+j$방향으로의 점 P_0의 함수 f의 방향도함수가 $\sqrt{2}$일 때, 점P_0에서 f의 경도 $\overrightarrow{\nabla f}$는?

① $i+3j$ ② $i-3j$ ③ $2i-3j$ ④ $3i+j$

Ans ①

(18이대)

16) 함수 $f(x,y,z)$가 원점 근방에서 미분가능하다. 원점에서의 f의 $(1,1,0)-$방향미분이 1이고, $(1,0,1)-$방향미분이 -1일 때, $(1,2,-1)-$방향미분을 구하면?

Ans. $\sqrt{3}$

17) 함수 $f(x,y) = \begin{cases} \dfrac{x^2 - y^2}{x^2 + y^2} \,, (x,y) \neq (0,0) \\[2mm] \quad 0 \quad\,, (x,y) = (0,0) \end{cases}$ 이라 하자. 어떤 벡터의 방향에 대하여 점 $(0,0)$에서

f의 방향도함수가 존재하는가?

① i ② $-j$ ③ $\dfrac{\sqrt{2}}{2}i + \dfrac{\sqrt{2}}{2}j$ ④ $\dfrac{\sqrt{3}}{3}i - \dfrac{\sqrt{6}}{3}j$ ⑤ $\dfrac{1}{2}i + \dfrac{\sqrt{3}}{2}j$

Ans ③

점 (a,b)에서 $u = <x_1, y_1>$ 방향으로 f의 방향도함수는 다음과 같다.

$$D_u f(a,b) = \lim_{h \to 0} \frac{f(a + hx_1, b + hy_1) - f(a,b)}{h}$$

$ex)$ $D_{(3,4)} f(1,4) = \lim_{h \to 0} \dfrac{f\left(1 + \dfrac{3}{5}h, 4 + \dfrac{4}{5}h\right) - f(1,4)}{h}$

---

18) $f(x,y) = \sin(xy),\, \alpha(h) = \dfrac{h}{\sqrt{2}}$ 일 때, 극한 $\displaystyle\lim_{h \to 0} \dfrac{f(1 + \alpha(h), \pi - \alpha(h)) - f(1,\pi)}{h}$ 의 값은?

① $-\pi$ ② -1 ③ $-\dfrac{1+\pi}{\sqrt{2}}$ ④ $\dfrac{1-\pi}{\sqrt{2}}$

Ans ④

> *경도방향의 방향벡터에서 방향도함수는 가장 큰 변화율을 갖는다.
>
> * f의 방향도함수의 최댓값 : $|\nabla f|$
>
> * f의 방향도함수의 최솟값 : $-|\nabla f|$
>
> * f가 가장 빨리 증가하는 방향 : ∇f
>
> * f가 가장 빨리 감소하는 방향 : $-\nabla f$

1) 점$(2,3)$에서 $f(x,y) = xy^2$의 최대방향 도함수는?

2) $P(1,1,4)$에서 $f(x,y,z) = 4 - x^2 + y^2 + z$이 가장빨리 증가하는 방향은?

3) $f(x,y) = 2 + x^2 + \dfrac{1}{4}y^2$의 f가 점$(1,2)$에서 가장 빨리 증가하는 방향의 단위벡터는?

4) $v(x,y) = 100 - x^2 + xy^2$에 대해서 점$(1,2)$에서 전압이 가장 빠르게 증가하는방향은?

5) 동판위의 표면온도가 $T(x,y) = 50 - \dfrac{2}{3}\sqrt{x^2+y^2}$ 으로 표시될때, 동판위에서 등속도운동으로

운동하는 물체가 점$(3,4)$에서 높은 온도지점으로 가장 빠르게 이동할 수 있는 방향은?

6) 점$(1,\ -2)$에서 2변수 함수 $f(x,y) = x^2y + xy^2$의 방향도함수가 최대인 방향의 벡터는?

① $(1,\ 0)$ ② $(0,\ -1)$ ③ $(1,\ 1)$ ④ $(1,\ -1)$

Ans .②

7) 점 $(2,\ 1)$에서 $f(x,y) = x^2y + xy^2$이 가장 빨리 증가하는 방향으로의 방향미분계수를 구하면?

① $\sqrt{89}$ ② $\sqrt{91}$ ③ $\sqrt{93}$ ④ $\sqrt{95}$

Ans .①

8) 산의 높이가 $z(x,y) = 100 - x^2 - y^2$로 나타난다. 점 $(1,\ 1)$에서 경사가 가장 급격히 증가하는 방향의 벡터를 구하면?

① $(1,\ 1)$ ② $(-1,\ 1)$ ③ $(1,\ -1)$ ④ $(-1,\ -1)$

Ans .④

9) 곡면 $z = \ln(xy)$를 평면 $-\sqrt{3}\,x + y - 5 + 2\sqrt{3} = 0$으로 잘랐을 때, 생기는 곡선에 대하여 점 $(2,5,\ln 10)$에서의 접선의 기울기는?

Ans. $\dfrac{1}{4} + \dfrac{\sqrt{3}}{10}$

10) a를 실수, $f(x,y) = \sin xy + y$라 하자. 3차원 공간에서 곡면 $z = f(x,y)$를 평면 $ax + y - 1 = 0$으로 잘랐을 때, 점 $(0,1,1)$에서 f의 변화율이 가장 크게 되는 a의 값은?

① -1 ② $-\sqrt{2}$ ③ $-\sqrt{3}$ ④ -2

(16광운)

11) 어떤 호수의 한 지점에 떠 있는 부표를 원점으로 하였을 때, 부표에서 동쪽으로 $x\,m$, 북쪽으로 $y\,m$ 떨어진 지점의 호수의 깊이가 함수 $h(x,y) = 15 - x^2 - 2y^2$으로 나타내어진다고 한다. 부표에서 동쪽으로 $2m$, 남쪽으로 $1m$ 떨어진 지점에서 호수의 깊이가 가장 빠르게 증가하는 방향으로의 깊이의 변화율은?

① $-4\sqrt{2}$ ② $-2\sqrt{2}$ ③ $\sqrt{2}$ ④ $2\sqrt{2}$ ⑤ $4\sqrt{2}$

Ans. ⑤

12) 점 $(1,\ 0,\ 0)$에서의 함수 $f(x,y,z)=x^2e^y+2y\tan^{-1}z$의 거리에 관한 최대 증가율을 구하면?

① 1 ② $\sqrt{2}$ ③ $\sqrt{3}$ ④ $\sqrt{5}$

Ans .④

13) 2변수함수 $f(x,y)=15+\dfrac{3}{4}\ln(1+2x^2+3y^2)$에 대해 다음 중 옳은 것의 개수를 구하면?

가) 벡터 $(0,\ -1)$의 방향은 점 $(1,\ 0)$에서 함숫값이 변하지 않는 방향이다.

나) 벡터 $(2,\ 3)$의 방향은 점 $(1,\ 1)$에서 함숫값이 가장 크게 증가하는 방향이다.

다) 벡터 $(2,\ 3)$의 방향은 점 $(-1,\ -1)$에서 함숫값이 가장 크게 감소하는 방향이다.

라) 벡터 $(2,\ 3\ -1)$는 그래프 위의 점 $\left(1,1,15+\dfrac{3}{4}\ln6\right)$에 접하는 평면, 즉 접평면에 수직이다.

마) 점 $(-1,\ 1)$에서 함숫값이 가장 크게 증가하는 방향과 점 $(1,\ -1)$에서 함숫값이 가장 크게 감소하는 방향은 같다.

① 1 개 ② 2 개 ③ 3 개 ④ 4 개

Ans .④

> < 공간상의 직선과 평면의 방정식 >
>
> 점 $A(x_1, y_1, z_1)$을 지나고 벡터 $\vec{a} = (l, m, n)$에 평행한 직선의 방정식
>
> $$\frac{x - x_1}{l} = \frac{y - y_1}{m} = \frac{z - z_1}{n}$$
>
> 매개변수 방정식 : $x = lt + x_1,\ \ y = mt + y_1,\ \ z = nt + z_1$

1) 공간상의 두점 $A(1,3,2),\ B(2,5,-1)$을 지나는 직선

$Ans.\ \dfrac{x-1}{1} = \dfrac{y-3}{2} = \dfrac{z-2}{-3}$

2) $A(1,2,3)$을 지나고 직선 $\dfrac{x+1}{2} = \dfrac{y-2}{-3} = \dfrac{z-3}{4}$에 평행한 직선의 방정식은?

$Ans.\ \vec{a} = (2,-3,4),\ \ \dfrac{x-1}{2} = \dfrac{y-2}{-3} = \dfrac{z-3}{4}$

< 벡터의 외적 >

$\vec{a} = (a_1, a_2, a_3)$, $\vec{b} = (b_1, b_2, b_3)$의 사잇각 $\theta (0 \leq \theta \leq \pi)$일 때.

$\vec{a} \times \vec{b} =$ 벡터 $\vec{a}, \vec{b}$에 동시에 수직인 벡터. (3차원공간상으로 존재)

외적 = 벡터. $|\vec{a} \times \vec{b}| = |\vec{a}||\vec{b}|\sin\theta$

*외적의 계산.

$$\vec{a} \times \vec{b} = \begin{vmatrix} i & j & k \\ a_1 & a_2 & a_3 \\ b_1 & b_2 & b_3 \end{vmatrix} = \begin{vmatrix} a_2 & a_3 \\ b_2 & b_3 \end{vmatrix} i - \begin{vmatrix} a_1 & a_3 \\ b_1 & b_3 \end{vmatrix} j + \begin{vmatrix} a_1 & a_2 \\ b_1 & b_2 \end{vmatrix} k$$

* 점 A가 (x_1, y_1, z_1)이고 그 점을 지나고 벡터 $\vec{h} = (a, b, c)$에 수직인 평면의 방정식

$a(x - x_1) + b(y - y_1) + c(z - z_1) = 0$, $ax + by + cz = d$, $(a, b, c) =$ 법선벡터

1) 점 $(3, -1, 7)$을 지나고 벡터 $(4, 2, -5)$에 수직인 평면의 방정식?

$Ans.\ 4(x - 3) + 2(y + 1) - 5(z - 7) = 0$

2) 점 $(1,2,-1)$을 지나고 평면 $2x-3y+4z+6=0$에 평행인 평면의 방정식?

$Ans.\ \vec{h}=(2,-3,4)\ ,\ 2(x-1)-3(y-2)+4(z+1)=0$

3) 세 점 $A(1,1,1),\ B(3,-1,2),\ C(0,1,5)$를 포함하는 평면의 방정식

$Ans.\ \begin{vmatrix} i & j & k \\ 2 & -2 & 1 \\ -1 & 0 & 4 \end{vmatrix} = -8i-9j-2k,\quad -8(x-1)-9(y-1)-2(z-1)=0$

4) 직선 $\dfrac{x-1}{2}=\dfrac{y+1}{3}=\dfrac{z-1}{4}$에 수직이고 점 $(1,1,-1)$을 지나는 평면의 방정식을 $ax+by+cz=2$로 나타낼 때 $a+b+c$는?

$Ans.\ 2(x-1)+3(y-1)+4(z+1)=0,\ a+b+c=18$

5) 점 $A(1,2,3)$, 직선 $\dfrac{x-2}{3}=\dfrac{y-1}{2}=\dfrac{z-3}{4}$를 포함하는 평면의 방정식은?

$Ans.$ $\begin{vmatrix} i & j & k \\ -1 & 1 & 0 \\ 3 & 2 & 4 \end{vmatrix} = 4i+4j-5k, \quad 4(x-1)+4(y-2)-5(z-3)=0$

< 3차원 공간상의 곡선 >

$r(t) = (f(t), g(t), h(t)) = f(t)i + g(t)j + h(t)k,\ x = f(t), y = g(t), z = h(t)$

① 3차원 공간곡선의 접선벡터 : $r'(t) = (f'(t), g'(t), h'(t))$

② 단위 접선벡터(법평면의 법선벡터) $T(t) = \dfrac{r'(t)}{|r'(t)|}$

③ 단위 법선벡터(교정면의 법선벡터) $N(t) = \dfrac{T'(t)}{|T'(t)|}$

④ 단위 종법선 벡터(접촉평면과 수직인벡터) $B(t) = T(t) \times N(t)$

⑤ 곡률(휨정도) $\kappa = \dfrac{|r'(t) \times r''(t)|}{|r'(t)|^3}$

⑥ 열률(비틀림) $\tau = \dfrac{(r'(t) \times r''(t)) \cdot r'''(t)}{|r'(t) \times r''(t)|^2}$

⑦ 구간 $[a,b]$에서 곡선$r(t)$의 곡선의 길이 $l = \displaystyle\int_a^b |r'(t)|\, dt$

⑧ 곡면 $r(u,v) = (x(u,v), y(u,v), z(u,v))$ 벡터함수의 $r_u \times r_v$는
   접평면의 법선벡터이다.

< 2차원 직교의 곡률 >

$y = f(x)$의 곡률 $\kappa = \dfrac{|y''|}{\left[1 + (y')^2\right]^{\frac{3}{2}}}$

* 공간상의 곡선

1) 곡선 $r(t) = ti + \frac{1}{2}t^2 j + \frac{1}{4}t^3 k$ 위의 점 $P(2) = (2,2,2)$에서의 접선의 식을 구하라.

2) 곡선 $q(t) = (t^2 - 1, -t + 1, -t^2 + 2)$가 $t = 1$일때의 접선의 방향벡터를 구하시오.

3) 곡선 $x = 2t - 1$, $y = 6 - t^2$, $z = \frac{4}{t}$의 $t = 2$일 때의 법평면의 식을 구하시오.

*공간상의 곡면 $z = f(x,y)$, $f(x,y,z) = 0$

4) 두 곡면 $z = x^2 - xy$, $xy + yz + zx = 1$의 교선위의 점 $P(1,1,0)$에서의 법평면의 식을 구하시오.

5) 두 곡면 $x^2 + y^2 = 2x$, $x^2 + y^2 + z^2 = 4$의 교선상의 점 $(1, 1, \sqrt{2})$의 접선의 식을 구하시오.

$Ans. \dfrac{x-1}{4\sqrt{2}} = \dfrac{z - \sqrt{2}}{-4}, y = 1$

6) 곡면 $x^2 y + z = 0$ 위의 점 $(1, 1, -1)$에서 접평면의 식과 접평면에 수직인 벡터를 구하시오.

$Ans. 2(x-1) + (y-1) + (z+1) = 0$

7) 곡면 $z = 2x - ye^x$ 위의 점 $(0, -1, 1)$에서 접평면의 방정식을 구하시오.

$Ans. 3x - (y+1) - (z-1) = 0$

8) 곡면 $xyz = 4$ 위의 점 $(1, 2, 2)$에서 법선의 식을 구하시오.

$Ans. \dfrac{x-1}{2} = y - 2 = z - 2$

---

* 점 (x_1, y_1, z_1)에서 평면 $ax + by + cz + d = 0$사이의 거리 d

$$d = \frac{|ax_1 + by_1 + cz_1 + d|}{\sqrt{a^2 + b^2 + c^2}}$$

9) 곡면 $y + 2z^3 - 3x^2 z = 0$위의 점 $(1,1,1)$에서의 접평면과 점 $(1,0,-1)$사이의 거리를 구하시오.

Ans. $\dfrac{7}{\sqrt{46}}$

10) 곡면 $f(x,y) = x^2 + 2y^2$위의 점 $(1,1,3)$에서 접평면의 방정식을 구하시오.

Ans. $2(x-1) + 4(y-1) - (z-3) = 0$

11) 곡면 $x = u,\ y = v^2, z = u + 2v$위의 점 $(1,1,3)$에서의 접평면의 식을 구하시오.

Ans. $(x-1) + (y-1) - (z-3) = 0$

12) 함수 $f(x,y) = 2x + 4y - x^2 - y^2 - 1$로 나타내어지는 곡면상의 접평면이 xy평면에 평행이 되는 점을 구하시오.

Ans. $(1,2,4)$

13) 평면 $z = 4y$이 곡면 $z = 9 - 4x^2 - y^2$의 점 P에서의 접평면과 평행할 때 P의 좌표를 구하시오.

Ans. $(0, -2, 5)$

14) 함수 $z = f(x,y) = x^2 - 3xy + 4y^2$의 그래프와 평면의 방정식 $z = ax + by + c$이 점 $(1, 2, 11)$에서 접할 때, $a + b + c$의 값을 구하시오.

① -2 ② -1 ③ 0 ④ 1 ⑤ 2

Ans ①

15) 곡면 $-yz = \ln(z - x + 1)$ 위의 점 $(1, -\ln\sqrt{2}, 2)$에서 접평면을 $x + ay + bz + \gamma = 0$이라

하고, 노말직선($normal\ line$)을 $\dfrac{x-1}{c} = \dfrac{y + \ln\sqrt{2}}{4} = \dfrac{z-2}{d}$라고 할 때, $a + b + c + d$의 값을구하시오.

$(a, b, c, d, \gamma$는 상수$)$

Ans. -5

16) 다음 세 곡면

$S_1 : \dfrac{x^2}{4} + y^2 + \dfrac{z^2}{9} = 3,\ S_2 : \dfrac{x^2}{4} - 2y^2 - 2yz - \dfrac{2z^2}{9} = 3,\ S_3 : -\dfrac{xy}{2} - \dfrac{yz}{3} + \dfrac{xz}{6} = 3$에 대하여 점

$(-2, 1, -3)$에서 접하는 곡면을 모두 구한 것은?

  ① S_1과 S_2 ② S_2과 S_3 ③ S_1과 S_3 ④ S_1과 S_2와 S_3

Ans ④

17) 다음 곡면 중에서 점 $(1,1,1)$에서 서로 접하는 것을 모두 고르시오.

① $(x-2)^2 e^{y^2-y} + 2z - 3 = 0$
② $x^2 - x + y^2 - 3y + 3z^2 - 5z + 4 = 0$
③ $x^2 - 4x + 4y^2 - 7y + 3z^2 - 4z + 7 = 0$

Ans ①, ③

18) 두 곡면 $x^4 + y^4 + z^4 = 18,\ x^3 + 2y^3 + z^3 = 18$이 점 (a,b,c)에서 접할 때, $a+b+c$의 값을 구하시오.

Ans. 4

19) $x^2 + y^2 + z^2 - 2x + 2y - 4z = 0$에 접하고, $2x + y + z = -1$에 평행한 접평면의 방정식을 $2x + y + z + a = 0$이라고 할 때, a의 값을 구하라.

① -7 ② -3 ③ 3   ④ 7

Ans ③

20) 곡면 $x^2 - 3xy + xyz - 2x + 1 = 0$ 위의 점 중에서 접평면을 갖지 않는 점은?

① $(1,0,3)$ ② $(1,2,3)$ ③ $\left(2,-\dfrac{1}{2},4\right)$ ④ $\left(2,\dfrac{1}{2},2\right)$

Ans ①

21) 원주면 $f(x,y,z) = x^2 + y^2 - 2 = 0$ 과 평면 $g(x,y,z) = x + z - 4 = 0$ 의 공통부분을 C 라 하자. 점 $A(1,1,3)$ 에서 곡선 C 에 접하는 직선의 매개방정식은?

① $x = 1 + t,\ y = 1 - t,\ z = 3 - t$ ② $x = 1 + 2t,\ y = 1 - 2t,\ z = 3 - 3t$

③ $x = 1 + t,\ y = 1 - 2t,\ z = 3 - t$ ④ $x = 1 + 2t,\ y = 1 - t,\ z = 3 - t$

Ans ①

22) 다음과 같이 주어진 곡선 Γ의 길이는? (단, $u = \dfrac{\sqrt{3}}{3}(1,1,1)$이다.)

$$\Gamma = \left\{ \sigma \in R^3 \,|\, \sigma \circ \sigma = 1,\ \sigma \circ u = \frac{\sqrt{3}}{2} \right\}$$

Ans. π

23) 벡터방정식 $\vec{R}(u,v) = (u^2, e^{1-v}, u+2v)$로 주어진 곡면 위의 점 $(1,1,1)$에서 접평면과

$\vec{r}(t) = \left(t, \dfrac{2}{1+t^2}, 2t\ln t\right)$ 로 주어진 곡선 위의 점 $(1,1,0)$에서 접선의 교점을 (a,b,c)라 할 때,

$a+b+c$의 값은?

Ans. 6

24) 곡면 $2x + y^2 - z = 2$위의 점 $(1,1,1)$에서의 법선벡터가 y축과 이루는 예각을 θ라 할 때, $\cos\theta$의 각을 구하시오.

$Ans. \dfrac{2}{3}$

25) 타원 포물면 $z = 2x^2 + y^2$위의 점 $(1,1,3)$에서 접평면과 xy평면이 이루는 각도를 θ라고 하자. 이 때 $\cos\theta$의 값은? (단, $0 \le \theta \le \dfrac{\pi}{2}$)

$Ans. \dfrac{1}{\sqrt{21}}$

26) 곡면 $x^2 + 4y^2 - z^2 = 4$의 점 중에서 그 점에서의 접평면이 평면 $2x + 2y + z = 5$와 평행인 점의 개수를 구하시오.

Ans. 2

27) 점 P는 평면 $x + y + 2z + 2\sqrt{3} = 0$ 위의 점 Q는 타원면 $\dfrac{x^2}{2^2} + \dfrac{y^2}{2^2} + z^2 = 1$ 위의 점일 때, P와 Q의 사이의 거리의 최솟값은?

① 0   ② $\dfrac{1}{\sqrt{3}}$ ③ $\dfrac{1}{\sqrt{2}}$ ④ $\dfrac{1}{2}$

Ans ①

28) 평면 $z = 4y$가 곡면 $z = 9 - 4x^2 - y^2$ 위의 점 P에서의 접평면에 평행할 때,

P의 좌표를 (a, b, c)라 한다. $a + b$의 값을 구하시오.

Ans. $- 2$

29) 곡면 $x^2 + 2y^2 + 3z^2 = 15$위의 점 (a, b, c)에서의 접평면과 직선 $x = 1 + 4t$, $y = 3 + 8t$,

$z = 2 - 6t$이 수직으로 만난다. $0 \leq a$일 때, $a + b + c$의 값은?

Ans. 3

30) 구 $x^2 + y^2 + z^2 = 3$위의 점 P에서 접하는 평면($tangent\ plane$)이 평면 $2x+y+z=7$과 평행하다고 가정하자. 이때 점 P를 모두 구하면?

① $\left(\sqrt{2}, \dfrac{\sqrt{2}}{2}, \dfrac{\sqrt{2}}{2}\right), \left(-\sqrt{2}, -\dfrac{\sqrt{2}}{2}, -\dfrac{\sqrt{2}}{2}\right)$

② $\left(\sqrt{2}, -\dfrac{\sqrt{2}}{2}, -\dfrac{\sqrt{2}}{2}\right), \left(-\sqrt{2}, \dfrac{\sqrt{2}}{2}, \dfrac{\sqrt{2}}{2}\right)$

③ $\left(-\sqrt{2}, \dfrac{\sqrt{2}}{2}, \dfrac{\sqrt{2}}{2}\right), \left(\sqrt{2}, \dfrac{\sqrt{2}}{2}, -\dfrac{\sqrt{2}}{2}\right)$

④ $\left(-\sqrt{2}, -\dfrac{\sqrt{2}}{2}, \dfrac{\sqrt{2}}{2}\right), \left(-\sqrt{2}, -\dfrac{\sqrt{2}}{2}, -\dfrac{\sqrt{2}}{2}\right)$

Ans ①

31) $z = 2x^2 + y^2$을 만족하는 곡면 위의 점 $(1,1,3)$에서의 접평면이 z축과 만나는 점을 구하시오.

① $(0,0,1)$ ② $(0,0,-2)$ ③ $(0,0,-3)$ ④ $(0,0,4)$

Ans ③

32) 포물면 $z = x^2 + y^2$ 과 평면 $3x + y + z = 6$ 의 교선을 C 라 할 때, 곡선 C 위의 점 $(1, -2, 5)$ 에서의 접선과 평행한 벡터 v 는?

① $v = (2, 2, -8)$ 　② $v = (-5, 0, 15)$ 　③ $v = (1, -5, 2)$ 　④ $v = (3, 5, -14)$

Ans ④

33) 곡면 $z = 2x^2 + 2y^2$ 과 곡면 $2x^2 + y^2 + z^2 = 19$ 의 교선 위의 점 $(-1,\ 1,\ 4)$ 에서 접선의 방정식이 $\dfrac{x+1}{a} = \dfrac{y-1}{b} = \dfrac{z-4}{4}$ 일 때, $a + b$ 의 값은?

① 13 　　　② 19 　　　③ 33 　　　④ 35

Ans ④

스킬편입수학

Copyright ⓒ 스킬편입수학. All rights Reserved.

34) 곡선 $y=x^2$에서 $x=a$일 때의 곡률을 $f(a)$라 하면, $\displaystyle\lim_{a\to\infty}f(a)$는?

① 0 ② 1 ③ e ④ ∞

Ans ①

35) 곡선 $r(t)=<2\cos t, 2\sin t, 3t>$ 위의 점 $P\left(0,2,\dfrac{3}{2}\pi\right)$에서

주단위법선벡터가 $<a,b,c>$이고 곡률이 κ일 때, $a+b+c+\kappa$의 값은?

① $-\dfrac{24}{13}$ ② $-\dfrac{11}{13}$ ③ $-\dfrac{2}{13}$ ④ $-\dfrac{15}{13}$

Ans ②

- 71 -

36) 매개 변수로 표현된 벡터함수 $r(t) = (3 + t^3)i + te^{-t}j + \sin 2t\, k$ 의 $t = 0$에서의 단위 접선 벡터는?

① $i + 2k$ ② $\dfrac{1}{\sqrt{5}}j + \dfrac{2}{\sqrt{5}}k$ ③ $\dfrac{1}{2}i + j$ ④ $2i - k$

Ans ②

37) 벡터함수 $r(t) = <\sin t, \cos t, \ln(-\cos t)>$에 의하여 주어진 곡선 C위의 점 $P(0, -1, 0)$에서 단위 법선벡터(Unit Normal Vector)를 구하시오.

Ans. $N(\pi) = \left\langle 0, \dfrac{1}{\sqrt{2}}, -\dfrac{1}{\sqrt{2}} \right\rangle$

38) R^3에서 정의된 경로 $C : r(t) = (\sin^2 t)i + (\cos^2 t)j + k$ $(0 \le t \le 2\pi)$ $0 \le t \le 2\pi$에서 $t = \dfrac{\pi}{4}$일 때의 곡률(curvature)과 열률(torsion)의 합은?

① 0 ② 1 ③ $\dfrac{\pi}{2}$ ④ 2

Ans ①

39) 원형나선 $r(t) = \cos t\, i + \sin t\, j + 2tk$의 $t = \dfrac{\pi}{2}$ 인 점에서의 법평면의 방정식은?

Ans. $x - 2z = -2\pi$

40) 곡선 $x = t, y = 2t^2, z = 3t^3$ 위의 점 $(1,2,3)$에서의 법평면의 방정식을 $ax + by + cz = 36$ 이라고 할때, $a + b + c$의 값은?

Ans. 14

41) 공간 곡선 $x = \cos t, y = \sin t, z = t$에서 임의시간 t에서의 곡률 (curvature)을 구하시오.

Ans. $1/2$

42) $t = \dfrac{\pi}{2}$일 때, 곡선 $r(t) = \langle \sin 2t, 3t, \cos 2t \rangle$의 곡률을 구하시오.

Ans. $4/13$

43) 다음과 같이 매개변수의 표현으로 정의되는 곡선 C의 각 점에서 곡률을 $\kappa(t)$라 할 때, $\kappa(t)$의 최솟값은?

$$C : r(t) = 4(t - \sin t, 1 - \cos t), \ \frac{\pi}{3} \le t \le \frac{\pi}{2}$$

① $\dfrac{1}{16}$ ② $\dfrac{1}{8\sqrt{3}}$ ③ $\dfrac{1}{8\sqrt{2}}$ ④ $\dfrac{1}{8}$

Ans ③

44) 곡선 $y = \cosh^{-1}x$ 위의 임의의 점 (x, y)에서의 곡률반경은? (단, $y > 0$)

① $\dfrac{1}{x^2}$ ② x^2 ③ $\dfrac{4}{(e^x + e^{-x})^2}$ ④ $\dfrac{(e^x + e^{-x})^2}{4}$

Ans ②

45) 곡선 $y = x^4 - x^2$의 점 $(0, 0)$에서의 곡률 중심좌표를 구하시오.

Ans. $\left(0, -\dfrac{1}{2}\right)$

46) 곡선 $x = 2t - 1,\ y = 6 - t^2,\ z = \dfrac{4}{t}$ 에서 $t = 2$에서의 법평면의 방정식은?

① $2x - 4y - z + 4 = 0$ ② $2x - y + 4z + 5 = 0$

③ $4x - 2y + z + 4 = 0$ ④ $x + 4y - 2z + 5 = 0$

Ans ①

47) 곡면 $x^2 + \dfrac{y^2}{4} - \dfrac{z^2}{9} = 1$의 점 $P(-1, 2, -3)$에서 법선이 $\dfrac{x+a}{6} = \dfrac{y-2}{b} = \dfrac{z+c}{d}$로 주어질 때, $a + b + c + d$의 값을 구하시오.

Ans -1

48) 곡면 $(y+z)^2 + (z-x)^2 = 16$ 위의 점에서의 법선이 yz평면에 평행인 점을 $(1, a, b)$라 할 때, 가능한 $a + b$의 값은?

Ans. ± 4

49) 곡면 $\sqrt{x} + \sqrt{y} + z = 6$, 점 $(4, 4, 2)$에서 접평면의 방정식과 구한 접평면과 원점사이의 거리를 구하시오.

$Ans.\ x + y + 4z = 16,\ \dfrac{16}{3\sqrt{2}}$

50) 벡터함수 $r(u, v) = \langle 2u - v, -u^2, u + v \rangle$에 대하여 점 $P(-1, -1, -2)$에서 접평면의 식이 $x + ay + bz + c = 0$으로 주어질 때, $a + b + c$의 값을 구하시오.

$Ans\ 1$

(20아주대)

51) 곡면 $S_1 : x^2 - y^2 + 2z^2 = -1$ 과 곡면 $S_2 : x^2 + y^2 + z^2 = 6$ 의 교점 $(1,2,-1)$에서 두 곡면에 그은 접평면의 교선의 방정식은 $x = 1 + \alpha t, y = 2 + \beta t, z = -1 - 2t$ 이다. $\alpha + \beta$ 의 값은?

① -4   ② $-\dfrac{7}{2}$ ③ $-\dfrac{5}{2}$ ④ 5   ⑤ 7

Ans ③

52) 매개방정식 $x = u^2, y = v^2, z = 2u + 3v$ 로 주어진 곡면 위의 점 $P(1, 1, -1)$에서의 곡면에 대한 접평면의 방정식은?

① $-2x + 3y - z = 2$ ② $2x - 3y - 2z = 1$ ③ $x - 3y + 2z = -4$ ④ $2x - y - 2z = 3$

Ans. ②

53) 두 곡면 $f(x, y, z) = x^2 + y^2 - 2 = 0$, $g(x, y, z) = x + z - 4 = 0$이 만나 이루는 곡선 위의 점 $(1, 1, 3)$에서의 접선의 식을 구하시오.

$Ans. \dfrac{x-1}{1} = \dfrac{y-1}{-1} = \dfrac{z-3}{-1}$

54) 포물면 $z = x^2 + y^2$과 평면 $3x + y + z = 6$의 교선을 C라 할 때, 곡선 C위의 점 $(1, -2, 5)$에서의 접선과 평행한 벡터 v를 구하시오.

① $v = (2, 2, -8)$ ② $v = (-5, 0, 15)$ ③ $v = (1, -5, 2)$ ④ $v = (3, 5, -14)$

Ans ④

55) $r(t) = \langle t^2, \ln t, 2t \rangle, 1 \le t \le 3$ 로 주어진 곡선의 호의 길이는?

① $3 + \ln 3$ ② $4 + \ln 2$ ③ $4 + \ln 3$ ④ $8 + \ln 2$ ⑤ $8 + \ln 3$

Ans ⑤

56) 벡터방정식 $r(t) = t\vec{i} + \dfrac{2}{3}t^{\frac{3}{2}}\vec{j}$ 위의   점$(0,0)$에서   점$\left(1, \dfrac{2}{3}\right)$까지의   호의길이는?
(단, $\vec{i} = (1,0), \vec{j} = (0,1)$)

① $\dfrac{4}{3}(2\sqrt{2} - 1)$ ② $\dfrac{4}{3}(\sqrt{2} - 1)$ ③ $\dfrac{2}{3}(2\sqrt{2} - 1)$ ④ $\dfrac{2}{3}(\sqrt{2} - 1)$ ⑤ $\dfrac{4}{3}(4\sqrt{2} - 1)$

Ans ③

57) 곡선 $r(t) = (\cos t, \sin t, t), 0 \le t \le \pi$ 중 원기둥 $(x-1)^2 + y^2 \le 1$에 속하는 부분의 길이는?

① $\dfrac{\sqrt{2}\,\pi}{3}$ ② $\dfrac{\pi}{\sqrt{3}}$ ③ $\dfrac{\pi}{\sqrt{2}}$ ④ π ⑤ $\sqrt{2}\,\pi$

Ans ①

58) 곡면 S_1과 S_2 가 아래와 같이 주어졌다. 점$(2,-1,1)$에서 S_1의 접평면과 S_2 의 접평면의 사잇각을 θ라 할 때, $\cos\theta$ 의 값은?

$$S_1 : z = x^2 + y^2 - 2x$$
$$S_2 : x^2 + 4y^2 + z^2 = 9$$

① $\dfrac{1}{3}$　　② $\dfrac{5}{3\sqrt{11}}$　　③ $\dfrac{7}{20\sqrt{3}}$　　④ $\dfrac{10}{3\sqrt{22}}$　　⑤ $\dfrac{11}{3\sqrt{21}}$

Ans ⑤

59) 벡터함수 $r_1(t) = <\cos t, \ln(1+t), \sin t>$, $r_2(t) = <1+t, te^t, t^3>$ 로 표현되는 두개의 곡선이 점 $(1,0,0)$에서 서로 교차할 때, 두 개의 곡선이 이루는 예각을 계산하면?

Ans. $\dfrac{\pi}{3}$

< 2변수함수의 극값 >

문제풀이 순서

① 임계점(정의역 위의 점)찾기 : $f_x = 0$, $f_y = 0$ 동시에 만족하는 점 (a,b)

② 판별식 적용
$\triangle(a,b) = f_{xx}(a,b) \times f_{yy}(a,b) - (f_{xy}(a,b))^2$

(1) $\triangle(a,b) > 0$ 극값
i) $f_{xx}(a,b), f_{yy}(a,b) < 0 \Rightarrow$ 극댓값
ii) $f_{xx}(a,b), f_{yy}(a,b) > 0 \Rightarrow$ 극솟값

(2) $\triangle(a,b) < 0$ (a,b)에서 안장점 $(saddle\ point)$ 또는 결절점 : 극값없다

(3) $\triangle = 0$이면 판정불능이므로 직관적으로 판정하거나 그래프이용

* $f(a,b) \geq f(x,y) \rightarrow f(a,b)$: 극댓값

   $f(a,b) \leq f(x,y) \rightarrow f(a,b)$: 극솟값

* f가 (a,b)에서 극값을 갖고 편도함수가 존재하면 $f_x(a,b) = 0$이고 $f_y(a,b) = 0$이다.

< 2변수함수의 최대,최소 >

f가 xy - 평면의 유계이고 닫힌 집한 D에서 정의된 연속함수일때, f는 D에서 최댓값과 최솟값을 갖는다.

(18숭실)

1) 다음 중 $f(x,y) = x^2 y + xy^2 - 3xy$의 임계점이 아닌 것은?

① $(0,0)$ ② $(0,3)$ ③ $(3,0)$ ④ $(3,3)$

*Ans.*④

2) $f(x,y) = (x^2 + y^2)e^{-x}$의 임계점을 구하시오.

3) $f(x,y) = \dfrac{x}{y^2} + xy$

Ans. $(0,-1)$

4) $f(x,y) = x^4 + y^4 - 4xy + 3$ 임계점을 구하시오.

Ans. $(0,0), (1,1), (-1,-1)$

5) $f(x,y) = x^2 y - 8xy + \dfrac{1}{3}y^3 + 3$ 임계점을 구하시오.

Ans. $(0,0), (8,0), (4,4), (4,-4)$

6) $f(x,y) = 3x^2 y + y^3 - 3x^2 - 3y^2 + 9$의 임계점을 구하시오.

Ans. $(0,0), (0,2), (1,1), (-1,1)$

7) 점 $(0,0)$이 F의 임계점이고 $\dfrac{\partial^2 F}{\partial x^2}(0,0) = 2$, $\dfrac{\partial^2 F}{\partial y \partial x}(0,0) = 3$, $\dfrac{\partial^2 F}{\partial y^2}(0,0) = 4$이면

$(0,0)$은 무슨점인가?

①극소　②극대　③안장　④판정불가

Ans ③

(16숙대)

8) $f(x,y) = (x-1)^4 + (y-1)^4 - 4xy + 4x + 4y - 3$ 의 안장점은?

①$(1,1)$　　②$(1,-1)$　　③ $(-1,-1)$　　④ $(2,2)$　　⑤ $(2,-2)$

Ans ①

9) $f(x,y) = x^3 - y^3 + 3xy$의 극값을 구하시오.

Ans. -1

10) $f(x,y) = x^2 - xy + y^2 - 2x + 3y + 1$의 극값을 갖는 점의 좌표를 구하시오.

$Ans.(1/3, -4/3)$

11) $f(x,y) = x^3 - 6xy + y^3$의 극값은?

$Ans. -8$

12) $f(x,y) = x + y - \ln(xy)$의 극값은?

$Ans. 2$

13) $f(x,y) = x^2 - 4xy + y^3 + 4y$의 극값을 갖는점은?

$Ans.\,(4,2)$

14) $f(x,y) = x^3 - y^3 - 9xy + 6$의 극값은?

$Ans.\,33$

15) $f(x,y) = x^3 - 2y^2 - 2y^4 + 3x^2y$의 극댓값은?

$Ans.\,0$

(18광운)

16) 함수 $f(x,y) = x^6 + y^6 - 6xy + 3$의 정의역의 점 $Q(1,1)$에 대한 설명으로 옳은 것은?

① 점 Q는 극대점   ② 점 Q는 극소점   ③ 점 Q는 변곡점   ④ 점 Q는 안장점
⑤ 점 Q는 최대점

$Ans.$ ②

17) $f(x,y) = 8xy - x^8 - y^8$의 최댓값은?

$Ans.6$

18) 점 $A(1,2,0)$에서 곡면 $z = \sqrt{x^2 + 2y^2}$에 이르는 최단거리는?

$Ans. \sqrt{\dfrac{19}{6}}$

* 점 (x_1, y_1, z_1)에서 평면 $ax + by + cz + d = 0$ 사이의 거리 d

$$d = \frac{|ax_1 + by_1 + cz_1 + d|}{\sqrt{a^2 + b^2 + c^2}}$$

19) 평면 $x + y - z = 0$ 위의 점 중에서 $P(2,1,0)$에 가장 가까운 점의 좌표는?

Ans. $(1, 0, 1)$

20) 원점을 중심으로 하는 반지름 2인 원판 $x^2 + y^2 \leq 4$에 열을 가했을때 온도가

$f(x,y) = x^2 + 2y^2 - x$로 주어진다. 온도가 최저인점과 최고인점을 구하라.

Ans. 최소인 점 : $\left(\frac{1}{2}, 0\right)$, 최대인 점 : $\left(\frac{-1}{2}, \pm\sqrt{\frac{15}{4}}\right)$

21) $f(x,y) = x^4 + y^2$이 극소가 되는점은?

$Ans. (0,0)$

(20단국)

22) 이변수 함수 $f(x,y) = y^2 - 2y\cos x$의 모든 극값의 합은?   (단, $-\frac{5\pi}{4} < x < \frac{5\pi}{4}$)

① -5   ② -3   ③ -1   ④ 1

Ans ②

23) 함수 $f(x,y) = ax^2 - xy + y^2 + 9x - 6y$ 가 $a > \eta$ 이면 극솟값을 갖고, $a < \eta$ 이면 극솟값을 갖지 않는다고 한다. η의 값은?

① $\dfrac{1}{5}$ ② $\dfrac{1}{4}$ ③ $\dfrac{3}{5}$ ④ $\dfrac{3}{7}$ ⑤ $\dfrac{7}{11}$

Ans ②

24) $f(x,y) = 16x^2 + 24x + 40y^2$ 의 최솟값을 구하시오.

Ans. -9

25) 이변수 함수 $f(x,y) = x^2 + \alpha y^2 - 2xy$의 임계점인 원점이 극솟점이 되도록 하는 실수 α를 모두 구하면?

① $\alpha < -1$ ② $\alpha \leq -1$ ③ $-1 < \alpha \leq 1$ ④ $\alpha \geq 1$ ⑤ $\alpha > 1$

Ans ⑤

26) 원점에서 곡면 $z^2 = 2xy + 2$까지의 거리는?

$Ans.$ $\sqrt{2}$

27) 점 $(3,0,0)$과 곡면 $2x^2 + y^4 = z^2$사이의 최단거리는?

① $\sqrt{3}$ ② 2 ③ $\sqrt{5}$ ④ $\sqrt{6}$ ⑤ $\sqrt{7}$

Ans ④

28) $\{(x,y) : 0 < x < \pi, 0 < y < \pi\}$ 에서 $h(x,y) = \sin x + \sin y + \sin(x+y)$ 의 극댓값을 구하면?

① $\dfrac{\sqrt{3}}{4}$ ② $\dfrac{\sqrt{3}}{2}$ ③ $\sqrt{3}$ ④ $\dfrac{3\sqrt{3}}{2}$

Ans ④

29) 함수 $f(x,y) = xy(x+y+2)$ 의 극값은?

① 극솟값 : $\dfrac{4}{3}$ ② 극댓값 : $\dfrac{4}{3}$ ③ 극솟값 : $\dfrac{8}{27}$ ④ 극댓값 : $\dfrac{8}{27}$

Ans ④

30) $D = \{(x,y)|0 \leq x \leq 4, 0 \leq y \leq 2x\}$에서 함수 $f(x,y) = xy - 2x - 3y$의 최댓값과 최솟값의 합을 구하시오.

① -8 ② 2 ③ 1 ④ -2

Ans ①

31) P는 직선 $x - 1 = \dfrac{y}{2} = \dfrac{z-1}{3}$ 위의 점이고, Q는 곡선 $\dfrac{x^2}{4} + y^2 = 1$과 평면 $z = 0$의 교선 위의 점이다. 점 O가 원점일 때, 내적 $\overrightarrow{OP} \cdot \overrightarrow{OQ}$의 최솟값을 구하면?
(단 P의 x좌표는 $0 \leq x \leq 2$이다.)

① $-5\sqrt{2}$ ② $-2\sqrt{2}$ ③ $-\sqrt{2}$ ④ $-\sqrt{5}$ ⑤ $-2\sqrt{5}$

Ans ⑤

32) $x^2 + y^2 \le 9$ 에서 정의된 이변수 함수 $f(x,y) = x^3 - 4y^2 - 3x$ 의 최솟값은?

Ans. $\dfrac{-986}{27}$

(17서강)

33) 함수 $f : R^2 \to R^1$ 이 $f(x,y) = 2x^2 - 2xy + x + y^2 - 4y + 5$ 로 주어졌다. 이 때 함수 f 가 극값을 갖는 점을 (α, β) 라 할 때, $\alpha - \beta$ 의 값, 그 점에서 함수 f 의 극댓값 또는 극솟값, 그리고 $f(\alpha, \beta)$ 의 값에 대한 순서 3쌍 $(\alpha - \beta, \max(\text{or} \min), f(\alpha, \beta))$ 는?

① $\left(2, \max, \dfrac{5}{4}\right)$ ② $\left(-2, \max, \dfrac{5}{4}\right)$ ③ $\left(-2, \min, -\dfrac{5}{4}\right)$

④ $\left(2, \min, -\dfrac{5}{4}\right)$ ⑤ $\left(2, \max, -\dfrac{5}{4}\right)$

Ans. ③

34) 영역 R은 좌표평면에서 점(0,0), (0,1), (1,1)을 꼭짓점으로 갖는 삼각형이다.

함수 $f(x,y) = 1 + \dfrac{(x+y)}{1!} + \dfrac{(x+y)^2}{2!} + \dfrac{(x+y)^3}{3!} + \cdots$ 가 영역 R에서 가지는 최댓값은?

① 1   ② $\dfrac{1}{2}e$ ③ 2   ④ e ⑤ e^2

Ans ⑤

35) 곡면 $z^2 = xy + x - y + 4$에서 원점까지의 최단 거리는?

① $\sqrt{2}$ ② $\sqrt{3}$ ③ 2   ④ $\sqrt{5}$ ⑤ $\sqrt{6}$

Ans ②

36) D가 좌표평면 위에서 $(0,0), (1,0), (0,1), (1,1)$을 네 꼭짓점으로 가지는 정사각형과

그 내부라고 할 때, 함수 $f(x,y) = xy - 2x^2y^2 + x^2y$의 D위에서의 최댓값과 최솟값의 합은?

Ans. 최댓값 : $\dfrac{1}{2}$, 최솟값 : 0

37) $D = \{(x,y) \in R^2 : x^2 + 2y^2 \leq 2\}$을 정의구역으로 갖는 함수 $f(x,y) = x^2 + xy + 2y^2$의

최댓값과 최솟값의 차는?

Ans. $2 + \dfrac{1}{\sqrt{2}}$

38) x, y가 $x^2 + y^2 \leq 1$을 만족할 때, $x^3 y$의 최댓값은?

$Ans. \dfrac{3}{16}\sqrt{3}$

39) $x^2 + y^2 \leq 4$인 x, y에 대하여 $f(x, y) = (x^2 + y^2 - 3)e^{-x}$의 최솟값을 m, 최댓값을 M이라 하자. 이 때, 곱 mM의 값은?

$Ans. -2e^3$

40) 영역 $D = \{(x,y)|\ |x| \le 1, |y| \le 2\}$ 위에서 정의된 함수 $f(x,y) = x^2 + x^2 y + y^2 + 4$의 최댓값과 최솟값의 곱은?

$Ans.\ 44$

41) x축, y축, $x - y - 4 = 0$으로 둘러싸인 닫힌 영역 D 위에서 함수 $f(x,y) = \dfrac{1}{3}x^3 + xy + y^2$의 최댓값 M과 최솟값 m의 곱 Mm의 값은?

$Ans.\ \dfrac{-4}{9}$

42) 점 $A(4, 1, 3)$에서 곡선 $\vec{x}(t) = (2t, \ln t, t^2)$에 접선을 긋는다. 접점과 점 A 사이의 거리는?

① 3   ② $3\sqrt{2}$ ③ $4\sqrt{2}$ ④ 5   ⑤ $5\sqrt{2}$

Ans ①

43) xz평면 내의 곡선 $z = x^2 + 1, x \geq 0$을 z축 둘레로 회전시켰을 때 생기는 곡면의 점 $(1, 1, 3)$에서의 접평면을 $z = ax + by + c$라 할 때 $3a + 4b + c$의 값은?

① 11   ② 13   ③ 15   ④ 16   ⑤ 17

Ans ②

44) 공간상의 세 점 $A(2,0,0), B(1,0,1), C(1,1,1)$이 있다. 구면 $x^2 + y^2 + z^2 = 1$ 위의 점 $D(a,b,c)$ 중에서 사면체 $ABCD$의 부피가 최대가 되도록 하는 a, b, c의 값에 대하여 $a + b + c$를 구하면?

$Ans. - \sqrt{2}$

45) 곡선 $x^2 - xy + y^2 = 3$의 최저점의 좌표가 (a, b)일 때 $a - b$의 값은?

$Ans. 1$

< 라그랑지 미정계수법(승수법) >

① 제약조건이 한개

$$\begin{cases} \nabla f = \lambda \nabla g \\ g(x,y,z) = 0 \end{cases}$$

위 식을 만족하는 λ(람다)를 라그랑지 미정계수라 한다.

② 제약조건이 두개인 경우

$$\begin{cases} \nabla f = \lambda \nabla g + \mu \nabla h \\ \quad g(x,y,z) = 0 \\ \quad h(x,y,z) = 0 \end{cases}$$

1) $x^2 + y^2 + z^2 = 1$ 일 때, $2x + y + 3z$의 최댓값은?

$Ans.\ \sqrt{14}$

2) 제약조건 $x^2 + y^2 + z^2 = 3$ 위에서 $2x + y + z$의 최댓값과 최솟값을 구하여라.

Ans   최댓값 $3\sqrt{2}$, 최솟값 $-3\sqrt{2}$

3) 함수 $f(x,y,z) = x - 2y + 3z$ 의 곡면 $x^2 + (y-1)^2 + 2z^2 = 19$ 위에서 극댓값을 α, 극솟값을 β 라 할 때, $\alpha - \beta$ 의 값은?

① $19\sqrt{2}$ ② $\dfrac{19}{\sqrt{2}} - 2$ ③ $19 - 2\sqrt{2}$ ④ $19 - 4\sqrt{2}$ ⑤ $38 - 4\sqrt{2}$

Ans   ①

4) 세 실수 a, b, c의 평균이 $\dfrac{13}{12}$일 때, $8a^4 + 27b^4 + 64c^4$의 최솟값은?

① $\dfrac{13}{12}$ ② $\dfrac{52}{3}$ ③ $\dfrac{351}{4}$ ④ $\dfrac{832}{3}$ ⑤ 1404

Ans   ③

5) 원점 $(0,0,0)$에서 곡면 $x^2 + 2y^2 - z^2 = 5$에 이르는 최단거리는?

① $\sqrt{2}$ ② $\sqrt{5}$ ③ $\dfrac{\sqrt{5}}{2}$ ④ $\dfrac{\sqrt{10}}{2}$

Ans   ④

6) 제약조건이 $x^2 + 2y^2 - z^2 = 1$일 때, 함수 $f(x,y,z) = x^2 + y^2 + z^2$의 최솟값을 구하라.

$Ans. \dfrac{1}{2}$

7) 조건 $x^4 + y^4 + z^4 = 1$을 만족시키는 $f(x, y, z) = x^2 + y^2 + z^2$의 최댓값과 최솟값의 차는?

① $\sqrt{3}$ ② $2\sqrt{3}$ ③ $3\sqrt{3}$ ④ $\sqrt{3} - 1$ ⑤ $2 - \sqrt{3}$

Ans ④

8) $(x-1)^2 + (y-1)^2 = 1$ 위에서 정의된 함수 $f(x) = \dfrac{1}{\sqrt{x^2 + y^2}}$의 최댓값과 최솟값의 합을 구하시오.

Ans. $2\sqrt{2}$

9) 영역 $D = \{(x,y) \mid (x-6)^2 + (y-8)^2 \leq 25\}$ 에서 함수 $f(x,y) = \dfrac{1}{x^2+y^2}$ 의 최솟값은?

① $\dfrac{1}{290}$ ② $\dfrac{1}{225}$ ③ $\dfrac{1}{185}$ ④ $\dfrac{1}{125}$ ⑤ $\dfrac{1}{100}$

Ans ②

10) $x^{\frac{1}{3}} + y^{\frac{1}{3}} = 5$ 를 만족하는 양의 실수 x, y에 대하여 $12x + 3y$의 최솟값은?

Ans. $\dfrac{500}{3}$

11) 이차곡선 $x^2 - xy + y^2 = 4$에서 정의된 함수 $f(x,y) = xy$의 최댓값을 A라 하고 최솟값을 B라 했을 때, $A + B$는?

Ans. $\dfrac{8}{3}$

12) 데카르트 엽선 $x^3 + y^3 = 6xy$ 상에서 $x + y$의 최댓값은?

① 3   ② 4   ③ 5   ④ 6   ⑤ 8

Ans ④

13) 편도함수가 $\dfrac{\partial f}{\partial x}(x,y) = ye^{xy}$, $\dfrac{\partial f}{\partial y}(x,y) = xe^{xy}$인 함수 $f(x,y)$는 정의역을

$\{(x,y)\in R^2 \mid 8x^3 + y^3 = 16\}$으로 제한했을 때 (a,b)에서 최댓값을 갖는다. 이 때, $a + b$는?

Ans.3

14) 원점 $(0,0,0)$에서 이변수 함수 $f(x,y) = \dfrac{1}{xy}$의 그래프까지의 최단 거리는?

Ans $\sqrt{3}$

15) 점 (x,y)가 $4x^2 + y^2 + xy = 1$을 만족할 때 e^{xy}의 최댓값은?

① e ② $e^{1/3}$ ③ $e^{1/5}$ ④ 1 ⑤ 존재하지 않는다.

Ans ③

16) 원기둥 $x^2 + y^2 = 1$과 평면 $x + z = 1$의 교선인 타원 위에서 함수 $f(x,y,z) = 3x + 2y + z$ 의 최댓값은?

Ans. $1 + 2\sqrt{2}$

17) 평면 $z = \dfrac{9}{2} + \dfrac{x}{2}$ 와 원뿔면 $x^2 + y^2 = z^2$의 교집합에 속하는 점과 원점 사이의 최대거리는?

  ① $9\sqrt{2}$ ② $7\sqrt{3}$ ③ $5\sqrt{5}$ ④ $3\sqrt{7}$

Ans ①

18) 공간상의 점 (x,y,z)가 $x^2 + y^2 + z^2 = 8, x - y = 0$을 만족할 때, $f(x,y,z) = xy + z^2$의 최솟값은?

① 2 ② 4 ③ 6 ④ 8

Ans ②

19) $x+y+2z=2$와 포물면 $z=x^2+y^2$의 교선을 C라고 하자. C위의 점 (x,y,z)에 대해

함수 $f(x,y,z)=e^{x^2+y^2+z^2}$의 최댓값을 구하면?

$Ans.\, e^6$

20) 좌표공간에서 $x^2+\dfrac{y^2}{4}+\dfrac{z^2}{4}=1$과 $x+y+z=0$의 교집합의 점 (x,y,z)에 대해서

$f(x,y,z)=x^2+y^2+z^2$의 최댓값과 최솟값을 각각 M,m이라고 할 때 $M-m$의 값은?

$Ans.\, M=4,\, m=\dfrac{4}{3},\, M-m=\dfrac{8}{3}$

21) 좌표공간에서 타원면 $8x^2 + 2y^2 + z^2 = 8$에 내접하는 직육면체의 최대 부피를 구하면?
(단, 직육면체의 모서리 각각은 좌표축 중 어느 하나와 평행하다)

① $\dfrac{32\sqrt{2}}{9}$ ② $\dfrac{32\sqrt{3}}{9}$ ③ $\dfrac{32\sqrt{5}}{9}$ ④ $\dfrac{32\sqrt{6}}{9}$ ⑤ $\dfrac{32\sqrt{7}}{9}$

Ans ④

22) 집합 $\left\{(x,y,z)\,|\,x^2 + y^2 + z^2 \le \dfrac{1}{2}\right\}$에서 함수 $f(x,y,z) = 1 - \dfrac{3}{2}x^2 - y^2 - z^2 - z$의 최댓값 M

과 최솟값 m은?

① $M = 1 + \dfrac{\sqrt{2}}{2}$, $m = \dfrac{1-\sqrt{2}}{2}$ ② $M = \dfrac{5}{4}$, $m = \dfrac{1-\sqrt{2}}{2}$ ③ $M = \dfrac{5}{4}$, $m = -\dfrac{5}{4}$

④ $M = \dfrac{1+\sqrt{2}}{2}$, $m = \dfrac{1-\sqrt{2}}{2}$

Ans ②

---

* 산술/기하평균(비율이 일정할 때)

① $a > 0, b > 0$에 대하여 $\dfrac{a+b}{2} \geq \sqrt{ab} \Leftrightarrow a + b \geq 2\sqrt{ab}$ (단, 등호는 $a = b$일 때 성립)

② $a > 0, b > 0, c > 0$에 대하여 $\dfrac{a+b+c}{3} \geq \sqrt[3]{abc}, \Leftrightarrow a + b + c \geq 3\sqrt[3]{abc}$
(단, 등호는 $a = b = c$일 때 성립)

1) 원점을 중심으로 반지름이 1인 원 위에서 함수 $f(x,y) = xy$의 최댓값을 구하시오.

$Ans. \dfrac{1}{2}$

2) $x^2 + y^2 = 1$ 일 때, $f(x,y) = x^2 y$의 최댓값은?

$Ans. \dfrac{2\sqrt{3}}{9}$

3) 실수 x, y, z가 관계식 $x^2 + \dfrac{y^2}{2} + \dfrac{z^2}{4} = 3$을 만족할 때, $f(x, y, z) = xyz$의 최댓값은?

$Ans. 2\sqrt{2}$

4) 실수 x, y가 $x^2 + y^2 = 1$을 만족할 때, $f(x, y) = e^{xy}$의 최댓값과 최솟값은?

$Ans. e^{\frac{1}{2}}, e^{\frac{-1}{2}}$

5) 실수 x, y가 $x^3 + y^3 = 16$을 만족 할 때, $f(x, y) = e^{xy}$의 최댓값?

$Ans. e^4$

6) 원 $x^2 + y^2 = 1$ 위에서 함수 $f(x,y) = -\sqrt{2}\,xy$의 최댓값을 구하면?

$Ans.\ 1/\sqrt{2}$

7) $x^2 + 4y^2 \leq 1$를 만족하는 실수 x, y에 대해 $f = \sin(\pi xy)$의 최댓값과 최솟값의 차는?

$Ans.\ \sqrt{2}$

8) 등식 $x^4 + y^4 = \dfrac{3}{4}$을 만족하는 실수 x, y에 대해 $x^2 y$의 최댓값을 구하시오.

① $\dfrac{3}{8}$ ② $\dfrac{2^{1/4}}{2\sqrt{2}}$ ③ $\left(\dfrac{3}{2}\right)^{3/4}$ ④ 1 ⑤ $\dfrac{1}{2}$

$Ans.\ ⑤$

9) 방정식 $x^4 + y^2 = 1$을 만족하는 x와 y에 대한 $\dfrac{xy}{\sqrt{2}}$의 최댓값을 M이라 할 때, $\log_3 M$의 값은?

① $\dfrac{1}{4}$ ② $-\dfrac{1}{4}$ ③ $\dfrac{3}{4}$ ④ $-\dfrac{3}{4}$ ⑤ $\dfrac{1}{2}$

Ans ④

10) 제약조건이 $\dfrac{x^2}{4} + y^2 + z^2 = 1$일 때 함수 $f(x, y, z) = 8xyz$의 최댓값을 구하라. $(x, y, z > 0)$

Ans. $\dfrac{16}{3\sqrt{3}}$

11) 원 $x^2 + y^2 = 1$위에서 함수 $f(x, y) = 9x^2 y$의 최댓값은?

Ans. $2\sqrt{3}$

12) $x^2 + y^2 = 1$일 때, $f(x,y) = 9x^3 y$의 최댓값?

Ans. $\dfrac{27\sqrt{3}}{16}$

13) $x^2 + y^2 = 1$에서 함수 $f(x,y) = x^2 + 2y^2 - 4y + 1$의 최댓값과 최솟값의 합은?

*Ans.*6

14) $x^2 + y^2 = 1$일 때 $f(x,y) = 4x + y^3$의 최댓값은 ?

*Ans.*4

* 코시 – 슈바르츠 부등식

(1) a, b, x, y가 실수일 때 $(a^2 + b^2)(x^2 + y^2) \geq (ax + by)^2$ (단, 등호는 $\dfrac{x}{a} = \dfrac{y}{b}$일 때 성립)

(2) a, b, c, x, y, z가 실수일 때 $(a^2 + b^2 + c^2)(x^2 + y^2 + z^2) \geq (ax + by + cz)^2$
(단, 등호는 $\dfrac{x}{a} = \dfrac{y}{b} = \dfrac{z}{c}$)

※ 마이너스 부호가 있는 2차식의 형태는 코시 – 슈바르츠 부등식을 못쓴다.

$Ex) \ x^2 + y^2 - 2z^2 = 4, \ x^2 - 6y^2 + z^2 = 9$

1) 곡면 $x^2 + 3y^2 + z^2 = 8$ 위의 점 중에서 $2x - 3y + z$의 최댓값과 최솟값을 구하라.

$Ans. \, 8, -8$

2) 타원면 $x^2 + y^2 + 2z^2 = 16$ 위에서의 함수 $f(x, y, z) = x - y + 2z$의 최솟값을 a, 최댓값을 b라 할 때, $b - a$값은?

$Ans. \, 16$

3) $x+y+z=11$ 을 만족하는 실수 x,y,z에 대하여 $x^2+2y^2+3z^2-4x+4y+6z$의 최솟값은?

$Ans. 66-9$

4) 평면 $6x+3y+2z=6$ 위에서 함수 $f(x,y,z)=x^2+y^2+z^2$ 의 최솟값을 구하시오.

$Ans. \dfrac{36}{49}$

5) 제약조건 $x^2 + y^2 + z^2 = 3$위에서 $2x + y + z$의 최댓값과 최댓값을 만족하는 (x, y, z)의 점을 구하시오.

$Ans.\, 3\sqrt{2},\left(\dfrac{2}{\sqrt{2}}, \dfrac{1}{\sqrt{2}}, \dfrac{1}{\sqrt{2}}\right)$

6) 함수 $g(x, y, z) = x - y + 2z$의 타원체 $x^2 + y^2 + 2z^2 = 2$위에서 최댓값과 최솟값의 차이는?

$Ans.\, 4\sqrt{2}$

(17이대)

7) $x + 2y = 1$을 만족하는 실수의 순서쌍 (x, y)에 대해 $x^2 + xy + y^2$의 최솟값을 구하시오.

$Ans. \dfrac{1}{4}$

8) 평면 $z = \dfrac{9}{2} + \dfrac{x}{2}$와 원뿔면 $x^2 + y^2 = z^2$의 교집합에 속하는 점과 원점 사이의 최대거리는?

① $9\sqrt{2}$ ② $7\sqrt{3}$ ③ $5\sqrt{5}$ ④ $3\sqrt{7}$

$Ans. ①$

9) 데카르트 엽선 $x^3 + y^3 = 9xy$ 상에서 $x+y$의 최댓값은?

*Ans.*9

10) a_1, a_2, a_3 는 양의 상수이다. 가중합 $\displaystyle\sum_{k=1}^{3}(a_k x_k)^2$이 최소가 되게하는 양수 $x_k (k = 1,2,3)$ 는? (단, $x_1 + x_2 + x_3 = 1$)

① $\dfrac{1}{\sqrt{a_k\left(\displaystyle\sum_{i=1}^{3}\dfrac{1}{\sqrt{a_i}}\right)^2}}$

② $\dfrac{1}{\sqrt{a_k}\left(\displaystyle\sum_{i=1}^{3}\dfrac{1}{\sqrt{a_i}}\right)}$

③ $\dfrac{1}{a_k^2\left(\displaystyle\sum_{i=1}^{3}\dfrac{1}{a_i^2}\right)}$

④ $\dfrac{1}{a_k^2\left(\displaystyle\sum_{i=1}^{3}\dfrac{1}{a_i}\right)^2}$

⑤ $\dfrac{a_k}{\displaystyle\sum_{i=1}^{3}a_i}$

Ans .③

11) 방정식 $(x+2y^2+z)^2=12x-3y^2-6z$를 만족하는 실수 x,y,z에 대하여 $(x,y)=(a,b)$에서 z는 최댓값 c를 가진다. $a-b-c$ 의 값은?

① 3   ② 2   ③ 1   ④ 0   ⑤ -1

*Ans.*②

12) 곡선 $2(x^3+y)^4+(x^3+y)^2=2x^3+y$ 위의 점 (x,y)에 대하여 y의 최댓값을 구하면?

① $\dfrac{5}{8}$ ② $\dfrac{3}{4}$ ③ $\dfrac{7}{8}$ ④ 1   ⑤ $\dfrac{9}{8}$

*Ans.*①

13) 타원체 $x^2 + 4y^2 + z^2 = 18$ 위의 점 $P(1,2,1)$에서 타원체의 접평면과 $xy-$평면이 만드는 예각을 θ라 할 때, $\sec^2\theta$의 값은?

Ans .66

14) 곡면 $z = x^2 - \dfrac{y^2}{2}$과 직선 $x + \dfrac{1}{2} = y = z - \dfrac{1}{4}$이 만나는 점 $\left(-\dfrac{1}{2}, 0, \dfrac{1}{4}\right)$에서 곡면의 법선과 직선의 교각은?

① $\cos^{-1}\left(-\sqrt{\dfrac{2}{3}}\right)$ ② $\cos^{-1}\left(-\dfrac{3}{\sqrt{10}}\right)$ ③ $\cos^{-1}\left(\dfrac{1}{\sqrt{2}}\right)$ ④ $\cos^{-1}\left(\sqrt{\dfrac{5}{6}}\right)$

Ans .①

15) 곡선 $r(t) = \dfrac{t^2}{2}i + 4t^{-1}j + \left(\dfrac{1}{2}t - t^2\right)k$는 곡면 $x^2 - 4y^2 - 4z = 0$과 점 $(2, 2, -3)$에서 만난다. 이때 교각의 크기를 구하면?

① $\dfrac{\pi}{2} - \cos^{-1}\dfrac{\sqrt{138}}{414}$ ② $\dfrac{\pi}{2} - \cos^{-1}\dfrac{19\sqrt{138}}{414}$ ③ $\dfrac{\pi}{2} - \cos^{-1}\dfrac{\sqrt{138}}{214}$ ④ $\dfrac{\pi}{2} - \cos^{-1}\dfrac{19\sqrt{138}}{214}$

Ans. ②

16) 곡면 $z = x^2 + 2y^2$과 곡선 $x = t - 1, y = -\dfrac{2}{t}, z = t^2 - 1$이 점 $(1, -1, 3)$에서 만날 때 교각을 구하면?

① $\dfrac{\pi}{2}$ ② $\dfrac{\pi}{2} - \dfrac{2}{3\sqrt{161}}$ ③ $\dfrac{\pi}{2} - \cos^{-1}\left(\dfrac{2}{3\sqrt{161}}\right)$ ④ $\dfrac{\pi}{2} - \cos^{-1}\left(\dfrac{8}{3\sqrt{161}}\right)$

Ans ④

17) 곡면 $z = xe^y$ 위의 점$(1,0,1)$에서의 접평면과 yz평면이 만나서 생기는 직선의 방정식을 $z = ay + b$라 하고 이 접평면과 yz평면이 이루는 예각을 θ라 하자. 이 때, $a + b + \cos\theta$의 값은? (단, a, b는 실수)

① $1 + \sqrt{3}$ ② $1 + \dfrac{\sqrt{3}}{3}$ ③ $2 + \sqrt{3}$ ④ $2 + \dfrac{\sqrt{3}}{3}$

Ans. ②

18) 두 평면 $x + 2y + z = 7$, $x - y - z = 4$의 교선 위의 점 중에서 원점에 가장 가까운 점을 (a, b, c)라 할 때, $a + b + c$의 값은?

Ans. $\dfrac{39}{7}$

19) 점 $P(a,b,c)$는 곡면 $\sqrt{x}+\sqrt{y}+\sqrt{z}=4$위의 점이고 $abc \neq 0$을 만족한다. 점 P에서의 접평면의 x절편, y절편, z절편의 합을 K라고 할 때, K의 값은?

① $a+b+c$ ② $\sqrt{abc}$ ③ 2   ④ 4   ⑤ 16

Ans .⑤

20) 곡선 $y=\ln(x\sqrt{2})$의 곡률이 최대가 되는 점의 x좌표는?

① $\dfrac{1}{\sqrt{6}}$ ② $\dfrac{1}{\sqrt{5}}$ ③ $\dfrac{1}{2}$ ④ $\dfrac{1}{\sqrt{3}}$ ⑤ $\dfrac{1}{\sqrt{2}}$

Ans ⑤

21) 함수 $y = \ln x, (x > 0)$의 그래프의 최대곡률은?

$Ans. \dfrac{2}{3\sqrt{3}}$

22) 원주면 $\dfrac{x^2}{2} + y^2 = 1$과 평면 $z = y$가 만나 생기는 곡선의 길이는?

$Ans. 2\sqrt{2}\,\pi$

< 2변수 함수의 급수 >

- 1변수 : $Taylor$급수 $f(x) = f(a) + f'(a)(x-a) + \dfrac{f''(a)(x-a)^2}{2!} + \cdots$

  M급수 $\quad f(x) = f(0) + f'(0)(x-0) + \dfrac{f''(0)(x-0)^2}{2!} + \cdots$

- 2변수

① $(x-a)(y-b)$에 대한 $Taylor$급수

$f(x,y) = f(a,b) + f_x(a,b)(x-a) + f_y(a,b)(y-b) +$
$\quad \dfrac{1}{2!}[f_{xx}(a,b)(x-a)^2 + f_{yy}(a,b)(y-b)^2 + 2f_{xy}(a,b)(x-a)(y-b)] + \cdots$

1) $f(x,y) = xy^3 - x^3y$에 대해 $(x-1)(y-2)$에 대한 $Taylor$급수 전개시 $(x-1)^2$과

$(x-1)(y-2)$의 계수는?

$Ans. - 6, 9$

(18성대)

2) $f(x,y) = e^{x-1}\cos((x-1)(y-2))$일 때, 점 $(1,2)$에서 선형근사식 $L(x,y)$를 구하고, 이 식을 이용하여 점$(1.1, 1.9)$에서 f의 함숫값을 근사하시오.

① $L(x,y) = x, 1.1$ ② $L(x,y) = y, -0.1$ ③ $L(x,y) = x, 0.1$ ④ $L(x,y) = y, 1.9$

⑤ $L(x,y) = x + y, 3$

$Ans. ①$

3) 점 $(1,1)$에서 함수 $f(x,y)=x^3y^4$의 선형 근사식이 $L(x,y)=ax+by+c$일 때, $a \times b$의 값은?

　① 9 　　　　② 10 　　　　③ 12 　　　　④ 15

Ans ③

4) 함수 $f(x,y)=\sqrt{2x+y+1}$의 그래프 위의 점 $(1,1,2)$에서 접평면의 방정식을 $z=T(x,y)$라 할 때, $T(0.9,1.1)$을 구하면?

　① $\dfrac{1}{40}$ 　　② $\dfrac{39}{40}$ 　　③ $\dfrac{79}{40}$ 　　④ $\dfrac{83}{40}$ 　　⑤ $\dfrac{109}{40}$

Ans ③

② $f(x,y)$의 M급수

$$f(x,y) = f(0,0) + f_x(0,0)x + f_y(0,0)y +$$
$$\frac{1}{2!}[f_{xx}(0,0)x^2 + f_{yy}(0,0)y^2 + 2f_{xy}(0,0)xy] + \cdots$$

1) 점 $(0,0)$에서 $f(x,y) = e^{x^2+y}$의 2차 근사 다항식은?

2) 점 $(0,0)$에서 $f(x,y) = \ln(1+x+2y)$의 2차 근사다항식을 이용해서 $f(1,0)$의 근삿값을 구하시오.

$Ans. \dfrac{1}{2}$

3) 점 $(0,0)$에서 이변수함수 $f(x,y) = e^{x^2+y}$의 이차 근사 다항식을 이용하여 $f(1,0)$의 근삿값을 구하시오.

$Ans. f(1,0) = 2$

4) 점 $(0,0)$에서 2변수 함수 $f(x,y) = \sqrt{\dfrac{1+x}{1+y}}$ 의 2차 근사다항식을 $g(x,y)$라 하자. $g(1,0)$의 값을 구하면?

① $\dfrac{9}{8}$ ② $\dfrac{11}{8}$ ③ $\dfrac{13}{8}$ ④ $\dfrac{15}{8}$

Ans. ②

5) 점 $(0,0)$에서 이변수함수 $f(x,y) = \dfrac{1}{1-3x+2y^2}$ 의 2차 근사다항식을 $g(x,y)$라 할때, $g(1,1)$의 값은?

Ans. 11